Alors, tirant légère mors avec les rênes,
exandre modéra ui déchirer la bouche.
uis, voyant qu'il açante et qu'il avait
nvie de courir, il ressant d'une voix
plu du talon.
LUTARQUE
D1291620

On savait qu'un des parcs à gibier était resté intact pendant cinq générations; Alexandre y entra avec son armée et ordonn de le battre en tous sens, à la poursuite des fauves. L'un d'eux, un lion d'une taille peu commune, se précipita pour assaillir le roi... Alexandre repoussa Lysimaque qui voulait lui prêter aide, et ajouta qu'à lui seul il était parfaitement capable de tuer un lion.

QUINTE-CURCE

L'aspect physique d'Alexandre est rendu au mieux par celles de ses statues qui sont dues à Lysippe, le seul sculpte par qui lui-même d'ailleurs voulait être représenté : l'inclinaison du cou légèrement penché vers la gauche et la fluidité des regards ont été fidèlement conservées par cet artiste.

PLUTARQUE

Le roi de Haute et de Basse-Égypte,
le maître des Deux-Terres, le fils de Rê,
le maître des couronnes, Alexandre, aimé d'Amon-Rê,
qui est sur son trône élevé.

INSCRIPTION HIÉROGLYPHIQUE SUR L'UNE DES PAROIS
DE LA « CHAPELLE D'ALEXANDRE » À LOUQSOR, AILE OUEST

Une fois réglées les affaires d'Égypte, Alexandre se dirigea
vers le sanctuaire d'Amon (dans l'oasis de Siwah),
dont il voulait consulter le dieu...
Il fut introduit par les prêtres à l'intérieur du temple
et se recueillit devant le dieu. Le Prophète, un vieillard, s'avança
alors vers lui : « Salut, dit-il, ô mon fils ! Et reçois cette salutation
comme venant du dieu. » Alexandre prit la parole et dit :
« Oui, j'accepte ton oracle, ô mon Père.
À l'avenir, on m'appellera ton Fils. »

DIODORE DE SICILE

Après avoir rendu aux soldats morts au combat,
sur les rives de l'Hydaspes, les honneurs qui leur étaient dus,
Alexandre offrit aux dieux les sacrifices habituels
pour remercier d'une victoire, puis célébra des Jeux athlétiques
et hippiques sur place, à l'endroit où il avait commencé
à traverser le fleuve avec son armée.

ARRIEN

La maladie ayant gagné tout son corps,
Alexandre fut transporté du parc dans le palais.
Quand les officiers entrèrent, il les reconnut,
mais il ne put leur adresser la parole,
étant désormais sans voix... Mais d'autres
racontent ceci, à savoir que les Compagnons
lui demandèrent à qui il laissait son empire,
et qu'il répondit : « Au meilleur. »

ARRIEN

Pierre Briant est professeur au Collège de France, titulaire de la chaire «Histoire et civilisation du monde achéménide et de l'empire d'Alexandre». Il a écrit de nombreux articles et livres sur Alexandre le Grand et ses successeurs, parmi lesquels un *Alexandre le Grand* aux PUF («Que sais-je?», 5e éd. revue, 2002). Il est aussi spécialiste de l'histoire et la civilisation perses achéménides, sujet sur lequel il a fait paraître un ouvrage de référence (*Histoire de l'Empire perse. De Cyrus à Alexandre*, Paris, Fayard, 1996) et de nombreuses mises au point (*Bulletin d'histoire achéménide*, Paris, Thotm, 2001). Il a récemment consacré un ouvrage au dernier Grand Roi, l'oublié de l'histoire (*Darius dans l'ombre d'Alexandre*, Fayard, Paris, 2003). Il est également le créateur d'un site web dédié aux études achéménides (www.achemenet.com), et il prépare la mise en ligne d'un «Musée achéménide virtuel et interactif».

1er dépôt légal : octobre 1987
Dépôt légal : décembre 2004
Numéro d'édition : 133437
ISBN : 2-07-030609-7
Imprimé en France par Pollina s.a.
85400 Luçon - n° 95511

ALEXANDRE LE GRAND
DE LA GRÈCE À L'INDE

Pierre Briant

DÉCOUVERTES GALLIMARD
HISTOIRE

Au IVe siècle avant J.-C., toute la Grèce rêve de vengeance. On n'y parle que de «guerre de représailles» contre les Perses, les ennemis de toujours. Plus de deux siècles d'affrontements, de nombreuses humiliations, de splendides victoires aussi : sur mer à Salamine, sur terre à Platées.

CHAPITRE PREMIER
GRECS ET PERSES

Malgré leur puissance, les cités grecques ne peuvent rien contre les Perses. Leurs armées subissent trop souvent la loi des guerriers des Grands Rois (ci-dessous à gauche, un guerrier perse, à droite, un soldat grec). L'initiative de l'offensive décisive viendra de Philippe d'abord et surtout de son fils, Alexandre (à gauche).

Tout commence en 480 quand Xerxès, à la tête de son armée et de sa flotte, envahit la Grèce

Ci-dessus un trésorier devant son abaque, table sur laquelle il fait ses comptes, en posant des lettres qui représentent des unités de calcul. Un personnage vêtu à la perse lui apporte le montant des tributs de sa province.

Malgré la résistance acharnée d'un petit détachement spartiate chargé de la garde du défilé des Thermopyles, les Perses gagnent la Grèce centrale puis occupent l'Attique, abandonnée par ses habitants. Regroupant leurs forces navales dans la rade de Salamine, les Grecs coalisés réussissent toutefois à infliger au Grand Roi sa première défaite : Xerxès préfère regagner l'Asie Mineure. L'armée qu'il avait laissée en Europe subit un nouveau désastre en 479, à Platées ; dans le même temps, les Grecs s'installent dans les cités grecques d'Asie Mineure assujetties au roi perse.

Le Vᵉ siècle porte la marque de la prééminence d'Athènes sur toutes les autres cités grecques. C'est elle qui prend la tête de la lutte contre la Perse. Ses armées et ses flottes lui avaient permis de créer un empire maritime et de mettre à mal la puissance du Grand Roi sur les côtes d'Asie Mineure et en Egypte. Le nom de Périclès et les

vestiges de nombreux édifices de l'Acropole symbolisent encore aujourd'hui l'apogée de la puissance athénienne. Pourquoi alors ces nouveaux appels à la guerre, ces discours enflammés des orateurs, d'Isocrate en particulier?

«Le roi Artaxerxès estime juste que les villes d'Asie lui appartiennent et aussi, parmi les îles, Clazomènes et Chypre»

C'est ainsi qu'en 386 le roi perse reprend l'initiative politique et militaire. La Paix du Roi, qu'il impose, n'est rien d'autre qu'un diktat, et les cités grecques d'Europe sont contraintes de l'accepter. Les plus prestigieuses du littoral, telles Ephèse, Milet, Priène et bien d'autres encore, entre la mer Noire et le golfe d'Alexandrette, retrouvent donc la domination perse. C'est contre une telle situation que veulent réagir Isocrate et ses amis : que l'on fasse cesser l'humiliation imposée par les Barbares ! Que l'on venge la destruction des sanctuaires grecs ! Que l'on décide d'aller libérer les cités sœurs d'Asie Mineure retombées sous le joug du Roi des Rois!

Mais, pour qu'un tel programme puisse être envisagé, il faut à la fois que les cités grecques

Sur un vase grec du IVe siècle, le Grand Roi , assis sur son trône, les pieds posés sur un tabouret, selon l'étiquette perse, tient conseil. A côté des Perses, reconnaissables à leur coiffure de feutre et à leurs riches vêtements, un Grec prend part lui aussi au conseil : il s'agit peut-être d'Histiée, tyran de Milet, conseiller de Darius. On suppose que la scène représente le conseil de guerre rassemblé par Darius avant la campagne de Grèce, au début du Ve siècle.

d'Europe fassent taire leurs divisions, et que l'une d'entre elles exerce l'hégémonie, c'est-à-dire la conduite des opérations militaires. Un temps, Isocrate pense à Athènes. Bientôt déçu, il envisage plusieurs solutions, sans succès. C'est alors qu'il se tourne vers un royaume qui, au nord de la Grèce, suscite haine et fascination : le royaume de Macédoine. En 346, dans un discours, il presse Philippe de «rendre libres les villes établies en Asie», de conquérir toute l'Asie Mineure, et d'y établir des colonies grecques, qui «serviront de limites à la Grèce et seront devant nous tous comme un glacis».

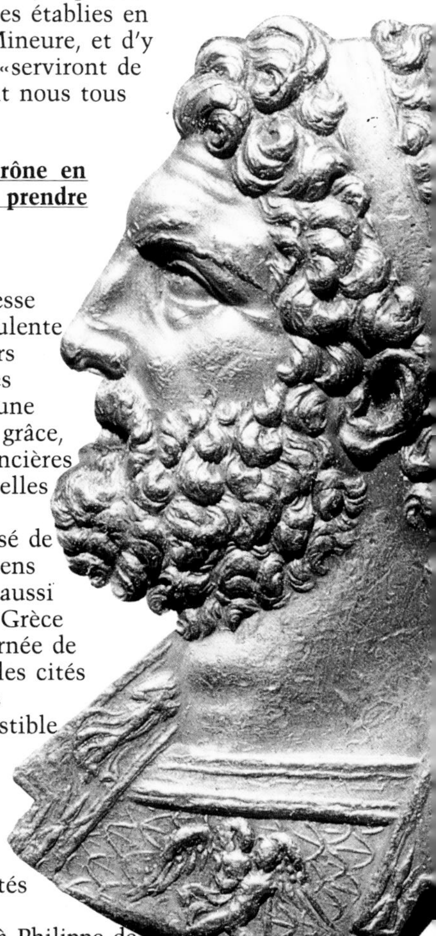

Avec Philippe II, monté sur le trône en 359, la Macédoine commence à prendre rang parmi les plus importants Etats grecs

A partir de cette date, le roi ne cesse d'affermir son pouvoir sur la turbulente aristocratie macédonienne, toujours prompte à susciter ou à utiliser les litiges de succession. Il se dote d'une armée magnifiquement entraînée, grâce, en particulier, aux ressources financières tirées de ses récentes conquêtes, telles les mines d'or du mont Pangée.
En effet, la Macédoine n'avait cessé de s'étendre, le plus souvent aux dépens d'Athènes et d'autres Etats grecs, aussi bien vers les Détroits que vers la Grèce centrale. Malgré l'opposition acharnée de l'orateur Démosthène à Athènes, les cités grecques ne surent pas trouver les moyens de s'opposer à cette irrésistible progression. En remportant, en 338, la victoire de Chéronée, Philippe fit la démonstration de leur infériorité militaire et politique. La grande période de l'indépendance sourcilleuse des cités grecques prenait fin.

Cette victoire permit en outre à Philippe de

reprendre à son compte le programme panhellénique, dans la mesure où il coïncidait avec les intérêts de la Macédoine. Il convoqua à Corinthe une assemblée de délégués des cités et des Etats grecs, au sein de laquelle fut décidée la création d'une ligue, dite Ligue de Corinthe. Une «paix commune» fut conclue entre tous les adhérents; chacun d'entre eux fut déclaré libre et autonome. Mais cette liberté était limitée par des clauses qui interdisaient tout changement politique ou social à l'intérieur d'une cité, et punissaient toute cité qui aurait cherché à renverser la royauté de Philippe et de ses successeurs. Philippe fut désigné *hêgemon*, c'est-à-dire général en chef, chargé de diriger l'armée commune, dont le traité réglait les modalités de recrutement dans chaque Etat adhérent. Parmi les cités importantes, seule Sparte refusa d'adhérer.

L'objectif officiellement avoué était de «déclarer la guerre aux Perses pour venger les Grecs des profanations que les Barbares avaient commises dans les temples de la Grèce». En conformité avec cette décision, Philippe envoya au printemps 336 un premier corps expéditionnaire, chargé de libérer les cités d'Asie et de préparer le terrain pour un débarquement prochain de l'armée tout entière.

Eté 336 : dans tout le pays, on prépare l'expédition d'Asie. Soudain, coup de théâtre, Philippe est assassiné

A la cour de Macédoine, on célèbre les noces de Cléopâtre, fille de Philippe et d'Olympias et sœur d'Alexandre ; de grandes fêtes ont lieu, spécialement à Aigai, la vieille capitale, où le roi vient assister à une représentation au théâtre. Dès son entrée, il tombe sous les coups d'un jeune

Philippe, en 359, s'attache d'abord à unifier les différentes petites principautés autour de la capitale, Pella, et à renforcer l'autorité de la monarchie. L'accession de la Macédoine au rang de grande puissance se marque par l'embellissement de Pella, qui devient l'un des plus importants centres politiques et culturels du monde grec; par la diffusion de monnaies d'or et d'argent, frappées à l'effigie du roi, grâce aux ressources minières nouvellement acquises en Thrace, et par la mise en place d'une armée levée parmi les paysans, pour l'infanterie, parmi les nobles, pour la cavalerie, et renforcée par des mercenaires enrôlés à prix d'or.

La tombe royale de Vergina

Au bas des pente des montagnes Piérie, en Macédoin près du site de Verg les archéologues on mis au jour plusieu cimetières, situés p des vestiges d'un pa royal d'époque hellénistique. La fouille d'un grand tumulus (diamètre 110 mètres; hauteu moyenne : 12 mètre permis de découvrir récemment une vas tombe voûtée, déco et remplie d'objets c toute sorte restés à l'abri des pillards. C a retrouvé un sarcophage, dans lec la dépouille portait encore un splendide vêtement rehaussé pourpre et d'or. La céramique permet c dater l'ensemble de moitié du IVe siècle J.C. Il s'agit donc tr probablement de la tombe de Philippe I de l'une de ses femr (peut-être Cléopâtre Vergina correspond site ancien d'Aigai, vieille capitale macédonienne où le rois étaient inhumé Plusieurs figurines d'ivoire représenten des membres de la famille royale : Olympias à gauche, Alexandre au milieu est représenté en jeu homme, Philippe à droite.

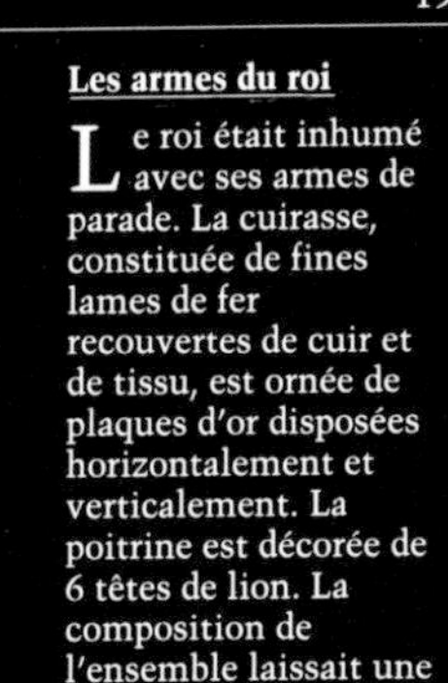

Les armes du roi

Le roi était inhumé avec ses armes de parade. La cuirasse, constituée de fines lames de fer recouvertes de cuir et de tissu, est ornée de plaques d'or disposées horizontalement et verticalement. La poitrine est décorée de 6 têtes de lion. La composition de l'ensemble laissait une remarquable liberté de mouvement au combattant. Le casque royal à haute crête, décoré d'une tête d'Athéna au milieu du front, est le premier casque macédonien mis au jour.

La plaque d'or du *gorytos* , carquois pour l'arc et les flèches, est ornée de scènes guerrières représentant la prise d'une ville.

noble macédonien, dont les mobiles ne sont pas connus avec exactitude.

A Philippe succède aussitôt son fils Alexandre, âgé de vingt ans. Pour imposer son pouvoir et sa légitimité, Alexandre paraît devant l'Assemblée populaire macédonienne. La royauté macédonienne, en effet, n'est pas une royauté absolue. Parmi ses prérogatives, l'Assemblée populaire détient celle d'acclamer le nouveau roi : il s'agit moins d'une élection que d'une confirmation. Mais, lors des successions difficiles, la sanction de l'Assemblée permet à l'héritier d'asseoir son autorité. Par ailleurs, Alexandre conduit lui-même à Aigai les cérémonies funèbres en l'honneur de son père : c'est, aux yeux des Macédoniens, un symbole de continuité dynastique.

Alexandre, le jeune prince héritier, a déjà fait ses preuves

Il a été élevé, comme tout fils de roi, par des précepteurs particuliers, placés sous l'autorité du rude Léonidas - un parent de sa mère Olympias - et chargés à la fois de son instruction littéraire et technique et de son dressage physique. Il y acquiert des habitudes de frugalité : «Pour son déjeuner, une marche avant le jour, et, pour son dîner, un déjeuner léger.» Léonidas fouille même les coffres du jeune prince pour vérifier qu'Olympias n'y a point placé quelque douceur pour son fils! C'est au cours de son adolescence que le futur roi

réussit à dompter le cheval Bucéphale.

Pour parfaire l'éducation de son fils, Philippe fait appel à Aristote, à qui il accorde des honoraires très élevés. Alexandre passe ainsi quelques années dans le domaine de Mieza, proche de Pella, y apprenant la philosophie et la politique et y appréciant les beautés d'Homère et d'Euripide, tout en poursuivant son apprentissage de roi et de soldat en compagnie de jeunes nobles de son âge.

En 340, à l'âge de seize ans, le jeune prince est jugé apte à exercer une sorte de régence, en l'absence de son père, parti en campagne militaire : il est, pendant cette période, dépositaire du pouvoir et du sceau royal. Peu après, il conduit lui-même une armée contre un peuple thrace insoumis, les Maides. En 338, il prend part à la bataille de Chéronée, où il commande l'aile gauche. Après la victoire, il est chargé de venir remettre les cendres des Athéniens morts au combat : première et dernière occasion de faire enfin connaissance avec une cité dont il admirait sincèrement le rayonnement culturel.

A tous égards, Alexandre assume la succession : c'est lui qui réalisera les projets de Philippe

L'une de ses premières initiatives est d'ailleurs de se présenter à Corinthe, pour y faire renouveler le pacte de 338, et de se faire officiellement concéder le titre de général en chef des contingents de la Ligue destinés à débarquer en Asie. Mais ses projets sont retardés par les mouvements de

Olympias, mère d'Alexandre, était la fille du roi des Molosses, en Epire. Très autoritaire, elle voulut jouer un rôle politique auprès de Philippe, ce qui lui valut d'être exilée. Elle ne revint à Pella que grâce à l'intervention de son fils Alexandre qui , plus tard, du plus loin de ses campagnes, ne cessera d'être en rapport avec elle.

❝Un jour, le Thessalien Philonicos amena à Philippe Bucéphale, qui était à vendre pour treize talents. On descendit dans la plaine pour essayer le cheval, et on le trouva rétif et tout à fait intraitable (...). Comme Philippe, impatienté, donnait l'ordre de l'emmener (...), Alexandre dit: «Quel cheval ils perdent, parce que, faute d'habileté et de courage, ils ne savent pas en tirer parti !» Philippe lui adressa la parole : «En blâmant comme tu le fais des gens plus âgés que toi, crois-tu donc en savoir plus qu'eux et être mieux capable de manier ce cheval?» «Certes», répondit Alexandre (...). «Et si tu n'y parviens pas, à quelle peine te soumettras-tu pour ta témérité ?» «Par Zeus, je paierai le prix du cheval»❞.

Plutarque

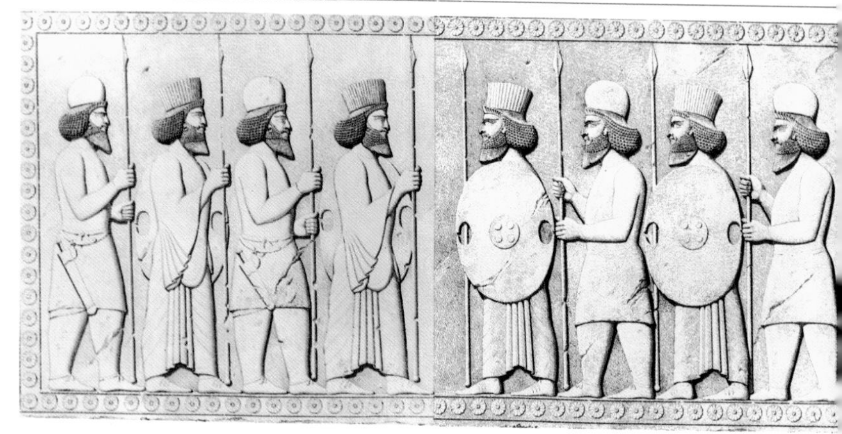

révolte de plusieurs peuples des Balkans, qui troublent périodiquement la vie des marches septentrionales de la Macédoine. Bien que non préméditées, ces campagnes balkaniques constituent une sorte de répétition générale pour l'armée macédonienne. Il est, en outre, indispensable de mettre la Macédoine à l'abri de ses ennemis traditionnels.

L'expédition est à nouveau ajournée par une insurrection des Grecs. Rassérénées par la disparition de Philippe II et abusées par la rumeur de la mort d'Alexandre sur le front balkanique, les cités grecques se préparent à venger l'humiliation de 338. Mais la révolte générale est bientôt écrasée par une campagne éclair du jeune roi : il vient mettre le siège devant Thèbes, qui dépose rapidement les armes. Non sans cruauté, Alexandre remet le sort de la cité entre les mains de ses «alliés» grecs, qui décident de raser la ville et de réduire en esclavage tous les Thébains survivants. Frappées de terreur, les cités grecques font amende honorable, y compris Athènes qui vote des félicitations à Alexandre pour ses victoires. Selon les termes du traité passé avec Philippe puis avec Alexandre, les cités adhérant à la Ligue de Corinthe envoient des contingents au roi : les soldats grecs serviront d'otages de fidélité pendant la campagne d'Asie.

Le maintien de l'ordre intérieur dans un empire aussi immense suppose la levée et l'entretien d'armées permanentes ou exceptionnelles. Le Grand Roi peut d'abord compter sur les gardes du palais, représentés sur les reliefs de Persépolis, armés de leurs lances et de leurs boucliers; il peut également, dans des circonstances particulièrement graves, lever des contingents sur tous les peuples de l'Empire.

Mais qui est donc cet adversaire perse, qu'Isocrate qualifie à plusieurs reprises d'ennemi héréditaire?

En 334, l'Empire perse - ou Empire achéménide, du nom de la dynastie régnante - a derrière lui une histoire vieille de plus de deux siècles. C'est vers le milieu du VIe siècle, en effet, que sous l'impulsion du roi Cyrus le Grand, le peuple perse s'était lancé à la conquête des royaumes que constituaient alors les pays du Moyen-Orient : successivement, entre 550 environ et 525, l'armée perse avait mis la main sur le royaume mède (capitale : Ecbatane), le royaume lydien (l'Asie Mineure), le royaume néo-babylonien (Mésopotamie et Levant) et sur l'Egypte. A l'époque de Darius le Grand (521-486), l'Empire s'était encore considérablement agrandi dans toutes les directions.

La construction de cet empire représente une mutation profonde de la situation géo-politique du Moyen-Orient qui, pour la première fois, est unifié sous l'autorité de celui qui se dénommait lui-même le Roi des Rois, le Grand Roi.

Placée à l'entrée du palais de Darius à Suse, cette statue monumentale exécutée en Egypte symbolisait la domination du Grand Roi sur une multitude de peuples, caractérisés de manière schématique par le vêtement et la coiffure et désignés en caractères hiéroglyphiques. Sur la rangée du haut, de gauche à droite, les Perses, les Mèdes, les Elamites. Au milieu : les Bactriens, les Sogdiens, les Scythes. En bas, les Lydiens, les Arabes, les Egyptiens. A gauche, les Indiens et les Nubiens.

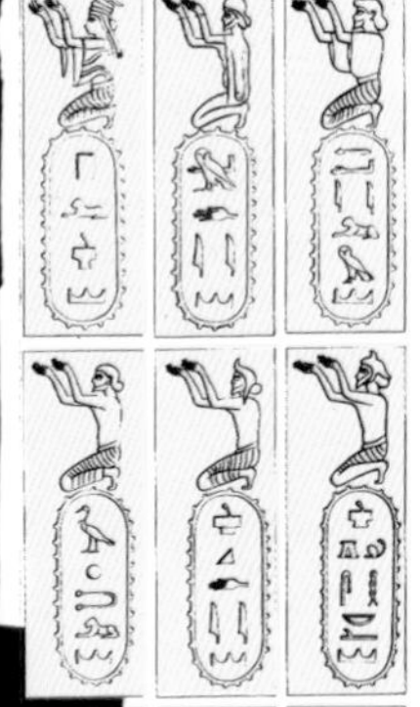

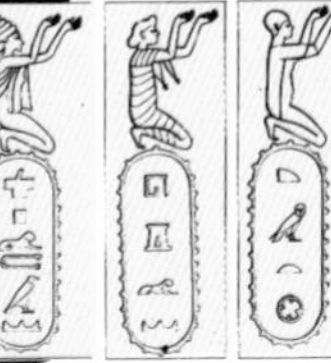

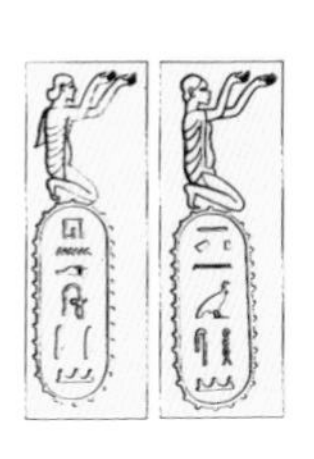

«Parmi tant de terribles calamités qu'eut à subir la ville de Thèbes, des soldats thraces saccagèrent la maison de Timocleia, femme réputée et de bonnes moeurs, et pillèrent ses richesses, tandis que leur chef approchait de force Timocleia et la déshonorait. Puis il lui demanda si elle avait de l'or et de l'argent caché quelque part. Elle déclara qu'elle en avait et, l'ayant conduit seul dans son jardin, elle lui montra un puits où elle avait déposé les plus précieux de ses biens. Ensuite, comme le Thrace se penchait sur le puits, Timocleia le poussa dedans et le tua en lançant sur lui une grêle de pierres. Les Thraces la menèrent enchaînée devant Alexandre qui reconnut dès l'abord, à son air et à sa démarche, que c'était une femme distinguée et d'un grand courage, car elle suivait sans trouble ni crainte ceux qui la conduisaient. Le roi lui demanda qui elle était. « Je suis, répondit-elle, la soeur de Théagénès qui a combattu contre Philippe pour la liberté de la Grèce, et qui est tombé à Chéronée, où il commandait en chef. » Alexandre, admirant sa réponse et son acte, ordonna de la laisser partir libre avec ses enfants.»

Plutarque

De grandes artères permettent au roi de communiquer rapidement avec les régions les plus éloignées de son empire

De l'Asie Mineure occidentale (Ephèse et Sardes) à Suse court la voie Royale, via Ancyre, la Cappadoce, le haut-Euphrate, la Babylonie et la Susiane. «On y trouve partout des relais royaux et d'excellentes hôtelleries ; elle ne passe que par des régions habitées et sûres... Il y a de Sardes au palais royal de Suse 13 500 stades (2 300 km) ; avec des étapes journalières de 150 stades (25 km), le voyage dure exactement quatre-vingt-dix jours.» Les régions centrales de l'Empire (Babylone, Suse, Persépolis) sont reliées à l'Inde et à l'Egypte par d'autres routes royales, sur lesquelles circulent armées et courriers du roi, protégés par une attentive police des routes.

Malgré les reculs consécutifs à l'échec de Xerxès en Grèce (480 - 479) et aux offensives athéniennes, l'empire s'étend encore, en 334, sur des milliers de kilomètres, depuis l'Egée jusqu'à l'Indus d'est en ouest, de l'Asie centrale au golfe Persique et à la mer Rouge, du nord au sud.

L'Egypte, qui a fait sécession entre 404 et 343, est reconquise sous la conduite d'Artaxerxès III (359-338); en revanche, la vallée de l'Indus jouit, semble-t-il, d'une indépendance de fait. Les territoires impériaux y sont répartis entre une vingtaine de gouvernements provinciaux, les satrapies, chacune dirigée par un satrape - terme qui, en perse, signifie «protecteur du pouvoir».

Les satrapes sont chargés de faire régner l'ordre, et disposent pour cela de troupes territoriales permanentes et de nombreuses citadelles et garnisons. Ils ont également pour mission de lever les taxes et les tributs, qui affluent vers les

Représentant du Grand Roi dans sa province, le satrape affirme son pouvoir par un cérémonial copié sur celui de la cour : ainsi le trône et le parasol représentés sur le bas-relief de gauche.

EVROPAE
PARS.
Getæ.
Danubius sive Ister flu.
PONTVS EVXINVS.
SCYTHÆ
Cercetæ.
COL:
CHIS.
MARE HYRCANVM
sive CASPIVM, quod et
PONTICVM non semel à
Curtio 3. vocatur MAGNVM
etiam ab Arriano 3.
Thraci bythini.
PAPH LAGO NIA.
Chalybes.
Mossini.
Choras: meni.
Heneti.
Leuco: syri.
Amazonum
Campi.
Cadusi.
Mardi
AS
ASIA
MINOR.
Cyri castra.
AR:
MENIA
MAIOR.
MEDIA.
Taurus
CILICIA.
Chios
Samos
Delos
Cyclades.
Mare Græcum.
Pæones.
CYPRVS.
CRETA.
MARIS
TERRANEI
MEDI:
PARS.
SYRIA.
MESOPOTA:
MIA.
BABYLO:
NIA.
Parætacæ.
Cossæi.
PER:
SIS.
PALÆSTINA.
ARABIA.
Orche:
ni.
LIBYAE sive AFRI:
CAE PARS.
AEGYPTVS.
AV:
Bythemanei.
SINVS PER:
SICVS.
ISMAELI:
TAE.
AGARENI.
MADIAN, et
MADIANITAE.
ZABA:
DAEI.
CEDAR.
RVBRVM MARE.
ARABIÆ
ARABIA. FELICIS
PARS.
SABA.
ALEXANDRI MAGNI
MACEDONIS EXPEDITIO

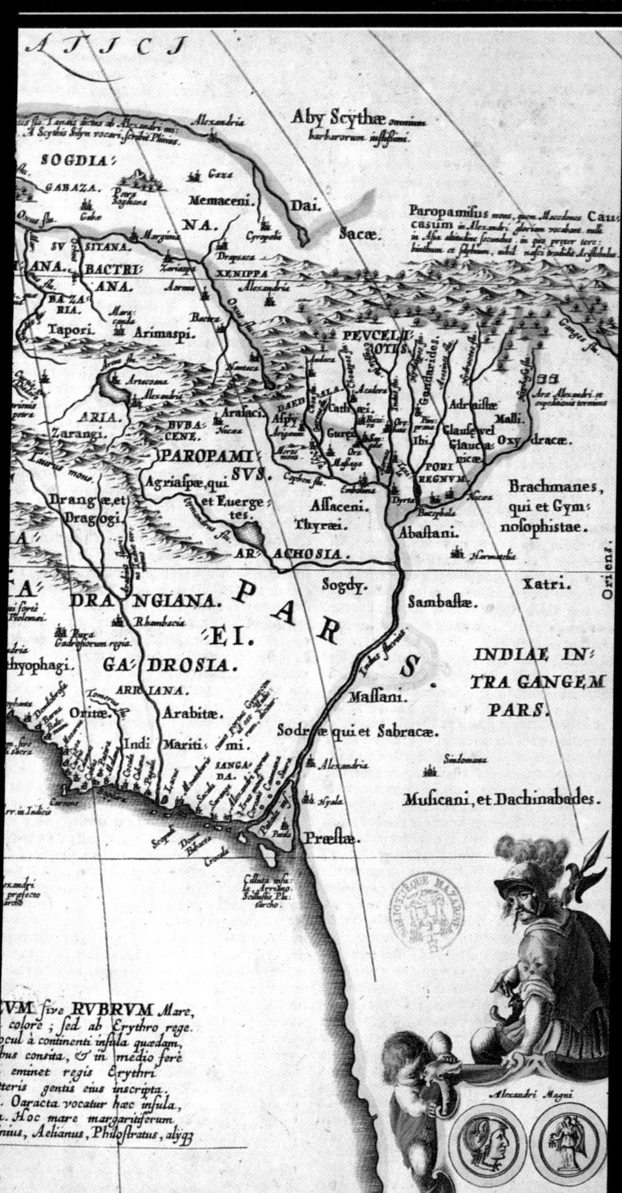

L'empire perse sur lequel va se lancer Alexandre s'étend sur près de 4000 km d'ouest en est, de l'Egypte à l'Indus, et sur 1800 km du nord au sud, du Syr-Darya (en URSS aujourd'hui) au détroit d'Ormuz, sur le golfe Persique. Il rassemble des pays d'une infinie diversité. Déserts de sable du plateau iranien et d'Egypte ou encore du Baluchistan (la Gedrosie), riches plaines irriguées de la vallée du Nil; de Babyloni et de Bactriane, montagnes inhsopitalières de l'Hindu-Kuch et du Caucase, horizons méditerranéens d'Asie Mineure littorale; marais des deltas du Tigre et de l'Euphrate; ce sont ous ces paysages que traversera Alexandre. Ls centres de décision de l'Empire sont reliés aux différentes provinces grâce à un réseau de grandes routes gérées par une administration spécialisée : les routes royales.

Trésors et les Magasins royaux. L'incroyable richesse du Grand Roi est à juste titre renommée chez les Grecs. La profusion des Trésors royaux à l'arrivée d'Alexandre en rend compte : on peut évaluer à plus de 18 000 talents (soit plus de 4 500 tonnes) la masse d'or et d'argent, en grande partie non monnayés, dont il va s'emparer dans les grandes capitales de l'Empire.

L'appui inconditionnel de la noblesse perse permet au Grand Roi de disposer d'administrateurs et de généraux qui tiennent en main les pays soumis. Le Perse est reconnaissable à sa coiffure en forme de couronne.

La conquête perse ne réduit pas l'extraordinaire diversité ethno-culturelle des pays qui constituent l'Empire

La langue des conquérants, le vieux-perse, ne s'est jamais diffusée au-delà du peuple perse lui-même. La langue perse n'est elle-même qu'une des nombreuses langues iraniennes parlées sur tout le plateau Iranien, comme le peuple perse est un des nombreux peuples iraniens liés entre eux par des traditions et des coutumes communes. Les peuples conquis continuent de parler leur langue et d'utiliser leur propre écriture : les Egyptiens parlent l'égyptien; leurs scribes continuent d'utiliser les hiéroglyphes - pour les inscriptions monumentales - et le démotique - sur papyrus; les cunéiformes restent employés en Babylonie, le grec est parlé dans les cités d'Asie Mineure. Même à Persépolis, cœur de la puissance perse, les archives royales qu'on y a découvertes, écrites sur tablettes d'argile, ne sont pas rédigées en perse mais en élamite.

Encore ne s'agit-il là que des langues les plus importantes. Dans le détail, le particularisme linguistique est encore plus frappant : on peut admettre que dans la seule Asie Mineure, plus d'une dizaine de langues et de dialectes sont alors parlés! Il est vrai aussi qu'à l'époque perse, on assiste à un développement sans précédent de l'usage de l'araméen, devenu la langue véhiculaire privilégiée et la langue de la chancellerie.

Cette situation linguistique ne fait qu'illustrer la conservation des traditions culturelles locales. Ce maintien procède aussi d'une démarche consciente des Perses, qui savaient ne pouvoir fonder un pouvoir durable que sur la collaboration avec les élites locales; cette politique est d'ailleurs attestée sur le plan religieux.

D'une manière générale, les Perses ont laissé les peuples conquis pratiquer leur propre religion. Parfois, des privilèges sont concédés aux sanctuaires locaux. C'est dans cette stratégie que s'insère la décision prise par Cyrus en 538 de permettre aux Judéens exilés en Babylonie de retrouver la terre de leurs ancêtres et d'y reconstruire un temple dédié à Yahvé. Qui plus est, après la conquête de la Babylonie, Cyrus accepte de se mouler dans les traditions religieuses locales, de même qu'en Egypte Cambyse et Darius ont été pharaonisés et ont accepté sans problème de faire des sacrifices en l'honneur des dieux égyptiens. Les Grands

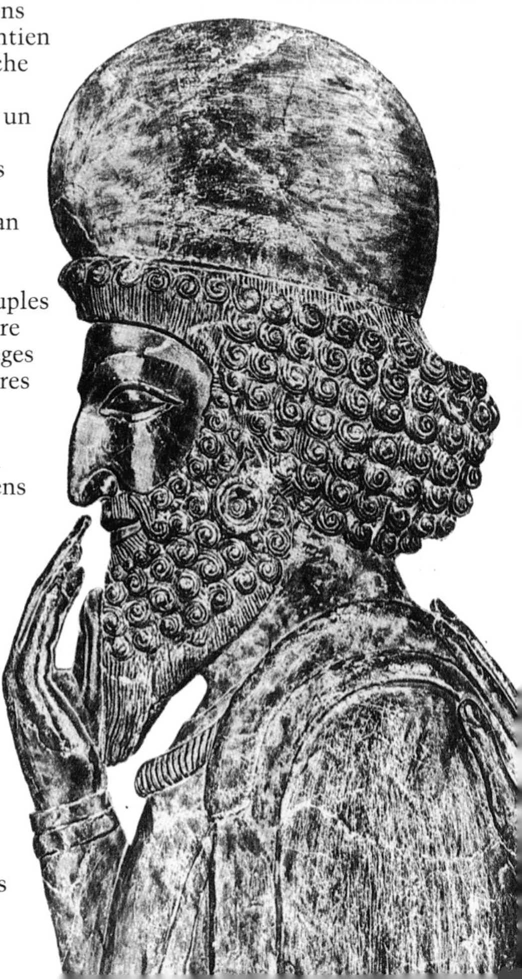

Après la conquête de la Médie par Cyrus, les nobles mèdes s'intègrent sans difficulté à l'Empire, à tel point que pour les Grecs, le terme de «Mèdes» désigne souvent les Perses, comme dans l'expression «guerres médiques».

Rois savent bien que l'appui des dieux locaux leur est indispensable pour gouverner les populations. Un conquérant comme Alexandre ne peut pas ne pas tenir compte des modalités spécifiques de la domination impériale qui, dans une large mesure, vont engager ses propres choix politiques.

Malgré la diversité de ses peuples, le Grand Roi symbolise et maintient l'unité de l'Empire autour de sa personne

Il est aidé en cela par l'aristocratie perse, devenue la véritable colonne vertébrale du pouvoir royal dans les territoires conquis. Toutes les principales charges auliques, les grands commandements militaires et les fonctions satrapiques sont réservés quasi exclusivement aux représentants des grandes familles perses. Les Perses ont également obtenu des terres dans l'Empire, en échange desquelles ils fournissent des troupes de cavaliers aux satrapes. En allant s'établir ici et là, les Perses de la *diaspora* impériale conservent leurs traditions culturelles et religieuses : à Sardes au IVe siècle, un temple est voué au grand dieu perse, Ahura-Mazda; dans chaque satrapie, un lieu de culte est dédié à la déesse Anahita.

C'est la cohésion politique et culturelle de ces Perses, tout autant que leur dévouement au Grand Roi et à la dynastie achéménide, qui expliquent la longévité de l'Empire. Il est vrai que les intérêts de cette noblesse et ceux de la dynastie sont indissolublement liés : la puissance politique et économique des grandes familles perses dépend du maintien de la domination sur les terres et sur les populations. Alexandre, pour dominer l'Empire, doit définir une politique à l'égard de cette classe dominante perse.

Au IVe siècle, les auteurs grecs dressent de l'Empire le portrait d'un Etat en pleine décadence

Ils soulignent avec complaisance l'affaiblissement militaire des Perses,

gâtés par le luxe de la table et les plaisirs du harem, à tel point que «quiconque va faire la guerre aux Perses peut, sans combat, se promener à son aise dans le pays»! Il est clair qu'à partir des guerres médiques, la supériorité intrinsèque - morale, politique, militaire - des Grecs sur les Barbares devient un mythe fondateur de l'historiographie grecque.

En fait, le Grand Roi peut à tout moment mobiliser des armées considérables, et ses ressources financières sont quasiment inépuisables. En dépit des révoltes connues de populations soumises ou de satrapes, la solidité de la construction impériale est indéniable et, à cette date, la loyauté de l'aristocratie perse est assurée au Grand Roi, véritable lieutenant sur terre du grand dieu Ahura-Mazda. C'est bel et bien dans une aventure terriblement risquée que se lance Alexandre lorsque, au début du printemps 334, il quitte la Macédoine avec toutes ses troupes pour gagner les Détroits puis l'Asie Mineure.

Trente ans après les conquêtes de Cyrus, de multiples rébellions dans l'empire seront matées par Darius, en 522-521. Les exploits de ce dernier sont représentés sur la falaise de Behistoun, sur la route de Babylone à Ecbatane : le Grand Roi pose le pied sur son principal rival, les autres rois rebelles étant devant lui, la corde au cou. Derrière Darius, se tiennent deux des six nobles perses qui l'ont aidé à prendre le pouvoir, figurés l'un en porte-lance, l'autre en porte-arc. L'ensemble de la scène est surmonté de l'image du grand dieu Ahura-Mazda.

Au printemps 334, l'armée macédonienne débarque sur la côte d'Asie Mineure, près d'Abydos. Alexandre affiche immédiatement ses ambitions : il plante une lance dans le sol, en signe de prise de possession des territoires du Grand Roi. Par la suite, il multiplie les gestes symboliques destinés à le relier aux héros de la guerre de Troie.

CHAPITRE II
LA CONQUÊTE DES CÔTES

Convaincu de la supériorité de ses armées, Alexandre se lance avec enthousiasme dans une campagne contre l'Empire perse, qu'il place sous la protection des héros de la guerre de Troie : ici, on le voit honorant la tombe d'Achille.

L'armée d'Alexandre est d'une redoutable efficacité; les Macédoniens en constituent l'élément moteur et bien souvent décisif

Prudent, Alexandre n'a pas complètement dégarni la Macédoine : il y a laissé 12 000 fantassins et 1 500 cavaliers sous le commandement d'Antipater, chargé de maintenir l'ordre.

Les cavaliers - dont le nombre n'excède pas 1 800 - sont issus de la noblesse des différentes régions du royaume macédonien. Ils portent collectivement le nom de cavaliers-compagnons, ou simplement de compagnons *(hetairoi)*. Coiffés d'un casque, ils utilisent essentiellement une javeline de cornouiller pour blesser et projeter à terre leur ennemi. Quant à l'infanterie, forte de 30 000 à 43 000 hommes levés dans la classe paysanne macédonienne, elle est constituée en phalange, où chaque fantassin dispose d'une longue lance de 5,50 m, la sarisse, qui rend le bloc de soldats pratiquement impénétrable et indestructible.

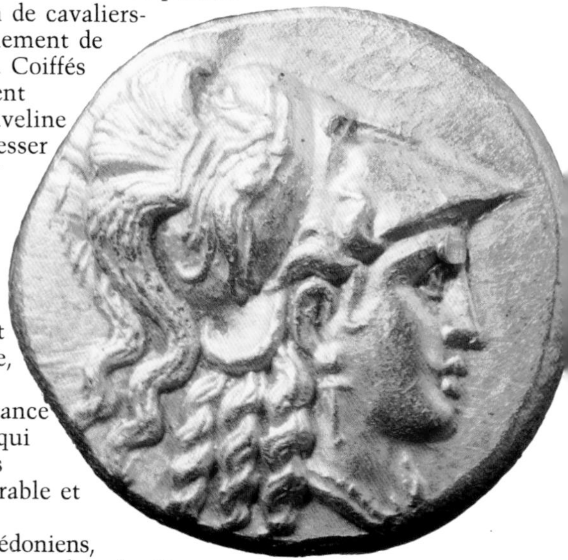

En plus de ses Macédoniens, Alexandre lève des troupes dans les Etats grecs de la Ligue de Corinthe : 7 000 fantassins et 600 cavaliers. La célèbre cavalerie thessalienne est représentée par 1 800 hommes. Les peuples balkaniques (Thraces, Péoniens, Illyriens...) lui envoient des contingents de valeur : fantassins légers, cavaliers et lanceurs de javelots.

« Au physique, il était très beau et d'une très grande résistance à la fatigue; son intelligence était très pénétrante, son courage extrême; nul n'aimait plus que lui la gloire et le danger, ni n'était plus attentif à s'acquitter de ses devoirs envers la divinité. Il était parfaitement maître des plaisirs du corps et ne se montrait insatiable que des plaisirs de l'esprit, pour la gloire qu'ils rapportent. »

Arrien

A côté des combattants, des centaines de chariots prennent aussi la route

Tout d'abord, le train des équipages : transport de nourriture, transport du matériel de siège, le tout

Cavaliers et fantassins se partagent les tâches, dans l'armée macédonienne. Les «Compagnons» (ci-contre, représentés sur une stèle funéraire), protégés par une cuirasse, combattent avec la lance et l'épée. Les fantassins, eux, portent la lance et le bouclier.

organisé sous le commandement d'un officier général qui a sous ses ordres des milliers de valets d'armée. Il y a aussi la suite personnelle des soldats : les Macédoniens, qui n'ont pas emmené leurs femmes avec eux, prennent des concubines dans les pays conquis. De véritables foyers se créent au cours des conquêtes et des marches, si bien qu'en 325 le nombre d'enfants nés dans le camp avoisine les 10 000 ! Aux femmes et aux enfants, il faut ajouter les marchands, prêts à spéculer sur la disette. Le convoi des bagages ne fait que s'alourdir au fur et à mesure que les soldats amassent du butin. «Ils ne songeaient ni à la guerre, ni à ses périls mais aux richesses!»

Pour commander et manœuvrer les troupes, Alexandre a près de lui de nombreux officiers aguerris, issus pour la plupart de la noblesse

Certains appartiennent à la génération de Philippe II : c'est le cas de Parménion, dont les conseils politiques et stratégiques sont souvent mal reçus par le roi, ou d'Antigone le Borgne, qui jouera un rôle de premier plan après la mort d'Alexandre.

Mais Alexandre cherche à s'appuyer de plus en plus sur des hommes de son âge, tel Héphestion, «qui avait grandi à ses côtés, confident de tous ses secrets, et qui était de beaucoup le plus cher de ses amis; nul autre, dans ses remarques, n'avait droit à plus de liberté. Il était du même âge qu'Alexandre, mais de taille supérieure». Bien d'autres jeunes gens de la plus haute aristocratie macédonienne sont prêts à servir le roi : Cratère, Seleukos, Ptolémée, Perdiccas, Peukestas et tant d'autres encore. Ces hommes commandent les régiments et bataillons de cavaliers et de fantassins. L'honneur de commander le bataillon royal revient en 334 à Kleitos, propre frère de lait d'Alexandre. Les plus proches compagnons du roi, moins d'une dizaine, portent le titre envié de *sômatophylaques* (gardes du corps). Mais, dans tous les cas, les décisions sont prises par Alexandre, qui combat en personne à la tête de ses troupes, monté sur son cheval Bucéphale et reconnaissable de loin au «panache de son casque, de chaque côté duquel se dresse une aigrette blanche».

Comme tous les jeunes gens de la noblesse macédonienne, Alexandre a été entraîné à devenir un grand cavalier. Ses précepteurs avaient fait de lui un guerrier au corps endurci et un prince capable de prendre en main le royaume.

Des chroniqueurs chargés de raconter la conquête font aussi partie de l'expédition

L'un des plus fameux est Ptolémée, lieutenant d'Alexandre; nommé en

Egypte après la mort du roi, il y fondera une dynastie. Il est aussi l'auteur de mémoires, malheureusement perdus aujourd'hui. Le livre de bord de l'amiral Néarque aura plus de chance, puisqu'il sera recopié par Arrien dans son livre, *l'Inde.*

Bien d'autres chroniqueurs accompagnent le conquérant : Callisthène, neveu d'Aristote, Anaximène, Onésicritos, Polyclète, Aristobule, Marsyas. De leurs œuvres ne subsistent aujourd'hui que des fragments épars. Il en est de même des notes prises par les arpenteurs militaires d'Alexandre, les bématistes. C'est

Elevé avec des compagnons de son âge, Alexandre choisit naturellement parmi eux ses conseillers et ses généraux. Ainsi Cratère, représenté sur cette mosaïque de Pella, chassant le lion.

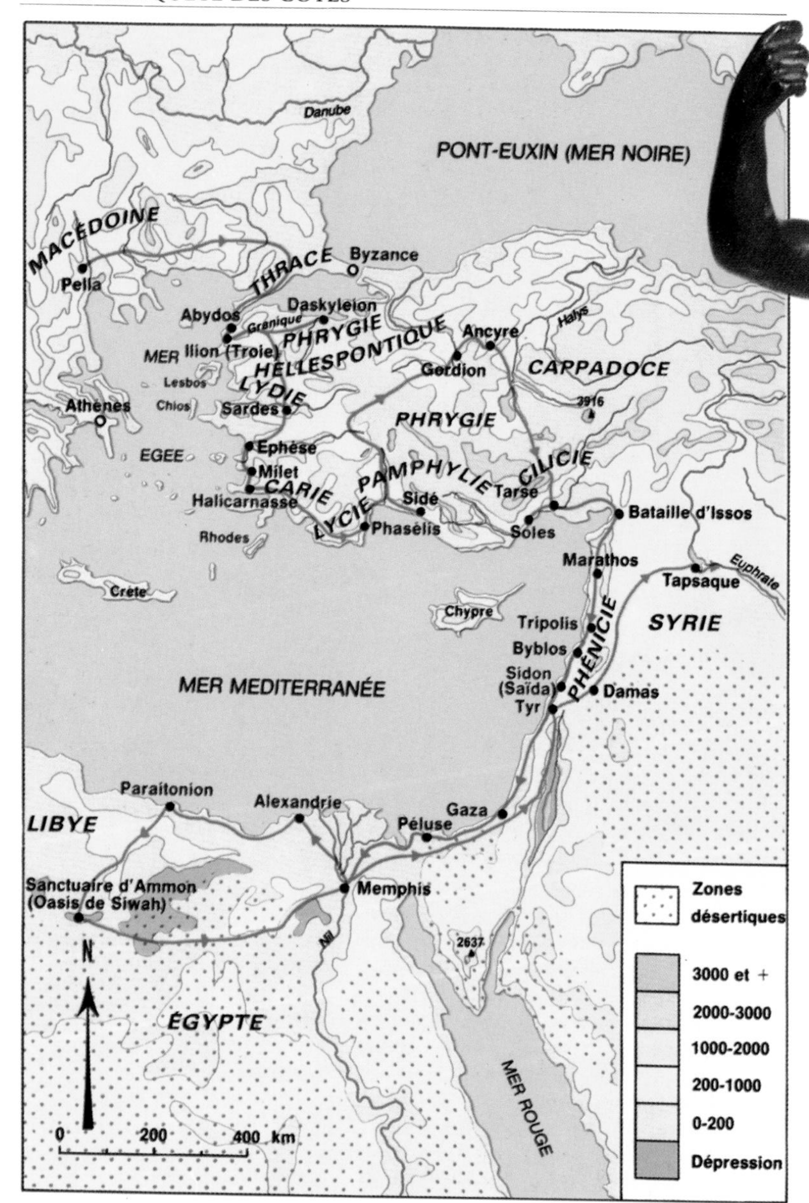
Danube
PONT-EUXIN (MER NOIRE)
MACÉDOINE
THRACE
Byzance
Pella
Abydos
Daskyleion
Granique
PHRYGIE
HELLESPONTIQUE
Ancyre
Halys
MER
Ilion (Troie)
Gordion
CAPPADOCE
Lesbos
LYDIE
Athènes
Chios
Sardes
3916
PHRYGIE
Ephèse
EGEE
Milet
PAMPHYLIE
CILICIE
CARIE
Tarse
Halicarnasse
Sidé
LYCIE
Phasélis
Soles
Bataille d'Issos
Rhodes
Marathos
Euphrate
Tapsaque
Crète
Chypre
Tripolis
SYRIE
Byblos
PHÉNICIE
Sidon
(Saïda)
Damas
MER MEDITERRANÉE
Tyr
Paraitonion
Alexandrie
Gaza
LIBYE
Péluse
Sanctuaire d'Ammon
(Oasis de Siwah)
Memphis
Nil
2637
N
ÉGYPTE
MER ROUGE
0
200
400 km
Zones désertiques
3000 et +
2000-3000
1000-2000
200-1000
0-200
Dépression

pourtant sur tous ces témoignages qu'ont été composées les nombreuses *Histoire d'Alexandre* à l'époque romaine, soit en latin - Quinte-Curce, Justin -, soit en grec - Arrien, Diodore de Sicile, Plutarque.

Face à cette armée qui vient l'affronter, Darius n'a pas jugé utile de décréter une mobilisation générale de l'Empire

Il connaît pourtant depuis plusieurs années les intentions macédoniennes, rendues manifestes par l'envoi d'un corps expéditionnaire en 337 : Darius avait alors confié des troupes à Memnon, qui avait infligé plusieurs défaites aux chefs macédoniens, réduits à opérer en Troade, où débarqua Alexandre. Ces victoires et le souvenir de précédentes expéditions grecques malheureuses avaient sans doute donné aux Perses une confiance excessive en leurs forces.

Diodore précise par exemple que «les satrapes et généraux perses étaient arrivés trop tard pour empêcher le passage des Macédoniens», alors même que les Perses pouvaient rassembler une flotte d'au moins 300 navires, donc bien supérieure à la flotte d'Alexandre, forte de 180 navires environ.

Les satrapes se réunissent dans

Les conquêtes d'Alexandre, en ces années 334 - 332, s'étendent de la mer Noire à la vallée du Nil. Au début du printemps 334, il débarque près de Troie; à la fin du mois de mai, s'enfonçant en Phrygie hellespontique, il remporte la victoire du Granique, qui lui permet de marcher sur Sardes, centre de la domination perse en Asie Mineure. Puis tombent les grandes cités grecques de la côte : Ephèse, Priène, Milet. A l'été, il poursuit sa marche vers le sud et met le siège devant Halicarnasse, capitale de la Carie. A l'automne, il conquiert la Lycie et la Pamphylie avant de remonter vers la Grande Phrygie et Gordion, où il prend ses quartiers d'hiver. Au printemps 333, il reprend la route du sud, et s'empare de la capitale de la Cilicie, Tarse. A Issos, début novembre, il remporte la victoire sur Darius et conquiert les cités phéniciennes, Byblos et Sidon. De janvier à août 332, il assiège Tyr, et peut alors poursuivre sa marche vers l'Egypte qu'il atteint à l'automne.

le nord de l'Asie Mineure, à Zélée. Deux conceptions stratégiques s'opposent.

Memnon, originaire de Rhodes mais depuis longtemps allié à une grande famille perse, propose d'appliquer la tactique de la terre brûlée. Il sait probablement qu'Alexandre dispose de maigres réserves d'argent et de vivres : en gros, de quoi entretenir et nourrir son armée pendant un mois. Le Macédonien, comme bien d'autres conquérants, compte évidemment vivre sur le pays, mais il lui faut pour cela remporter une victoire rapide. Lui refuser la bataille est donc une suggestion somme toute judicieuse.

Les chefs perses ne l'entendent pas ainsi. Sûrs de leur supériorité au combat, soucieux de protéger leurs pays des ravages et des rapines, désireux d'annoncer une victoire à Darius et d'en retirer un surcroît de faveur, ils ont hâte de s'opposer les armes à la main au jeune prince venu d'Europe.

Des nobles perses remplissent tout à la fois le rôle de satrapes et de généraux : ce sont eux qui se portent en première ligne contre Alexandre.

En mai 334, les généraux perses choisissent inexplicablement de masser leur cavalerie sur la berge escarpée du Granique

De ce fait, ils annihilent leurs capacités manœuvrières. Le choc des deux masses de cavalerie est d'une extrême violence. Alexandre lui-même se jette dans la mêlée, à la tête de ses hommes. Bientôt submergés, plusieurs milliers de cavaliers perses quittent le champ de bataille. Quant aux milliers de mercenaires grecs qui servent auprès des Perses, ils sont massacrés sur place, et les 2 000 rescapés condamnés aux travaux forcés dans les mines de Macédoine.

Le premier affrontement entre Macédoniens et Perses se déroule sur les rives du fleuve Granique, n'engageant que quelques corps de cavaliers de part et d'autre.

«Regroupés au coude à coude (...) les «Parents du Roi» commencèrent par lancer leurs javelots contre Alexandre. Puis, combattant au corps à corps, ils affrontèrent tous les dangers afin de tuer Alexandre. Mais celui-ci ne s'avouait pas vaincu par la multitude des ennemis, malgré le nombre et l'ampleur des périls qui l'entouraient. Sa cuirasse avait reçu deux coups, son casque en avait reçu un, et trois le bouclier qu'il avait enlevé du temple d'Athéna (à Troie). Cependant, loin de s'abandonner, il redressait la tête devant tous les dangers, dans l'exaltation d'un courage désespéré. Ensuite, nombreux furent les autres chefs, célèbres chez les Perses, qui mordirent la poussière non loin de lui.»

Diodore

Victorieux, Alexandre se consacre en priorité à l'organisation des territoires conquis

Sa constante préoccupation est d'agir dans la continuité des pratiques administratives achéménides. L'organisation provinciale, la satrapie, est conservée. En Phrygie hellespontique - dont la capitale, Daskyleion, se rend sans combattre - le Macédonien Kalas est nommé satrape et la population doit payer au nouveau maître les mêmes tributs qu'elle versait antérieurement à Darius.

Peu de temps après, Alexandre s'empare sans combattre de Sardes, véritable centre de la domination perse en Asie Mineure occidentale. Ancienne capitale des rois lydiens, la ville est pourtant bien fortifiée. Mais, sans doute découragé par le récent revers du Granique, le Perse Mithrénès remet à Alexandre la citadelle et le Trésor. C'est le premier exemple avéré de reddition d'un noble perse, qui restera dès lors dans l'entourage

Ephèse, en 334, est la plus riche et la plus célèbre des cités d'Asie Mineure, l'un des points de contact entre les civilisations grecque et perse. Plutarque raconte que le jour même de la naissance d'Alexandre, le temple d'Artémis fut incendié.

d'Alexandre, y jouissant des mêmes honneurs qui lui étaient reconnus à l'époque de Darius; Alexandre développera par la suite cette politique de collaboration macédono-iranienne. A Sardes comme à Daskyleion, l'organisation administrative est laissée en place, à ceci près évidemment que tous les pouvoirs (civil, militaire, financier) sont confiés exclusivement à des Macédoniens et à des Grecs.

Tout au long du printemps et de l'été 334, le conquérant prend en main les cités grecques de la côte

Beaucoup préfèrent se ranger de leur plein gré sous les ordres du roi. Certaines d'entre elles avaient en effet été abandonnées par leurs garnisons achéménides : c'est le cas d'Ephèse, célèbre par son sanctuaire dédié à Artémis. A Milet, en revanche, le commandant de la citadelle, le Grec Hégésistrate,

«Il n'est pas étonnant que le temple ait été entièrement brûlé, Artémis étant alors occupée à mettre au monde Alexandre. Tous les mages qui se trouvaient en séjour à Ephèse, voyant dans la destruction du temple le présage d'un autre malheur... criaient que ce jour avait engendré un fléau et une calamité de grande importance pour l'Asie.»

Hégésias de Magnésie, cité par Plutarque

décide de résister, comptant à la fois sur les fortifications de la ville et sur l'appui prévisible de la flotte et de l'armée perses. Mais la flotte d'Alexandre réussit à devancer la flotte perse. Bloquée sur terre et sur mer, Milet doit se rendre.

D'une manière générale, la prise de possession par Alexandre s'accompagne de l'instauration d'un régime démocratique dans les cités ainsi libérées, au contraire des Perses qui, eux, s'étaient appuyés sur des tyrans, souvent haïs de la majorité de la population. A Ephèse, le massacre des tyrans et de leurs familles prend une telle ampleur qu'Alexandre doit intervenir pour le faire cesser.

Leur libération de la domination perse ne signifie pas pour autant que les cités accèdent à une indépendance totale. Elles doivent apporter leur contribution au financement de l'expédition, et, parfois, des garnisons macédoniennes succèdent aux garnisons perses. Alexandre n'est plus seulement le libérateur des cités grecques, il se considère également et avant tout comme le successeur du Grand Roi en sa qualité de maître des terres et des personnes : les cités grecques elles-mêmes doivent se le tenir pour dit !

Après la chute de Milet, Memnon et les Perses se replient sur Halicarnasse, au sud-ouest de l'Asie Mineure. Capitale de la satrapie de Carie unie à la Lycie, la ville est célèbre en particulier par l'une des sept merveilles du monde, le Mausolée, où est inhumé le dynaste satrape Mausole. A cause des formidables fortifications de la ville, Alexandre prévoit un long siège, soutenu par un arsenal de machines et par des sapeurs. Epuisés par les sorties et les offensives, les chefs perses doivent se résoudre à abandonner la ville et se réfugient dans la citadelle, qui, elle, résistera pendant un an.

«Le voilà dénoué», dit Alexandre en tranchant d'un coup d'épée le nœud gordien

Après avoir laissé des troupes en Carie et envoyé le gros de l'armée à Sardes, Alexandre prend avec lui une partie de son armée et s'empare des

Ci-dessous, fragment de la frise du Mausolée d'Halicarnasse. Ci-contre, une fresque de la Renaissance illustrant l'épisode du nœud gordien.

«Le nœud était en écorce de cornouiller, et on ne voyait ni où il commençait ni où il finissait. Alexandre, tout en n'ayant aucun moyen de défaire ce nœud, n'admettait pas de le laisser intact (...); alors, d'après certains, il le coupa en deux d'un coup d'épée. Mais Aristobule dit qu'il retira la cheville du timon, et que, tenant en même temps le nœud, il tira et sépara le joug du timon.»

Arrien

districts côtiers d'Asie Mineure méridionale, c'est-à-dire de la Lycie et de la Pamphylie, avant de remonter vers le nord pour hiverner à Gordion, où il concentre et renforce son armée.

Pendant ce temps, les Perses mènent une vigoureuse contre-attaque sur les arrières d'Alexandre. Nommé par Darius commandant suprême du front d'Asie Mineure et des forces navales, Memnon attaque par mer. Profitant de ce qu'Alexandre a licencié la plus grande partie de sa flotte, à l'exception des navires de transport, il s'empare, au printemps et à l'été 333, des îles de Chios et de Lesbos; à moyen terme, son plan est de passer en Europe. Son offensive soulève de grandes espérances dans les Cyclades et dans plusieurs cités d'Europe; sa mort, à la fin de l'été 333, constitue une perte terrible pour le camp perse, même si son successeur, son propre neveu Pharnabaze, continue de mener de fructueuses opérations en mer Egée. Entre-temps, Alexandre, qui s'est apparemment rendu compte de son erreur, a pris des mesures pour reconstituer une flotte chargée de chasser les garnisons perses réinstallées dans les îles.

Sur les monnaies, le souverain perse est fréquemment représenté en archer, symbole de sa fonction guerrière.

Au début du printemps 333, Alexandre quitte Gordion et se dirige vers le littoral cilicien, l'une des bases traditionnelles de la domination maritime achéménide. A Tarse, capitale de la région, il tombe gravement malade, probablement des suites d'une hydrocution dont il est victime lors d'un bain dans le Kydnos. Sa marche est stoppée pendant plusieurs semaines. Les soins de son médecin, Philippe, lui permettent cependant de se remettre et de reprendre la marche vers la Syrie.

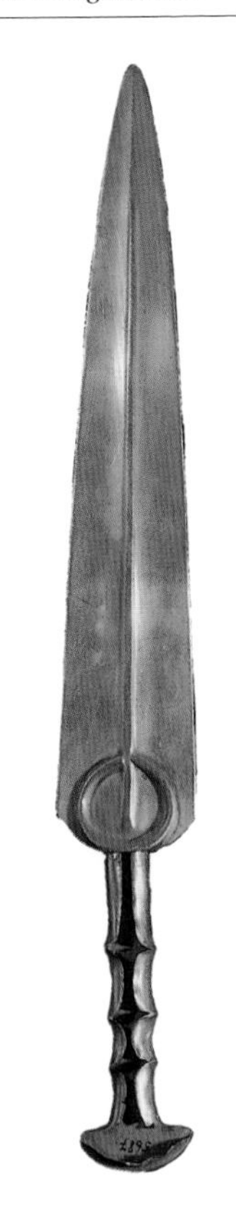

Face à l'avance macédonienne, Darius prend lui-même le commandement des troupes royales

La composition de cette armée est bien différente de celle qui s'était opposée à Alexandre l'année

Les archers de la garde royale portent le titre d'Immortels, car, selon Hérodote, dès que l'un tombait au combat, un autre de la même taille le remplaçait aussitôt. Armés d'une longue lance, ils portent sur le dos l'étui à arc.

« Immédiatement après, marchaient ceux que les Perses appellent les Immortels, environ dix mille hommes. C'étaient eux surtout qu'un luxe d'une opulence barbare rendait plus imposants : à eux les colliers d'or, à eux les robes brochées d'or et les tuniques à manches, ornées aussi de gemmes. »

Quinte-Curce

précédente. Tous les peuples de l'Empire doivent envoyer leurs contingents, à l'exception de ceux du plateau Iranien et de l'Inde, dont la mobilisation aurait demandé de trop longs délais. Les troupes sont rassemblées près de Babylone, «foule presque innombrable de cavaliers et de fantassins, et qui paraissait encore plus considérable que son chiffre exact».

Au demeurant, il est difficile d'évaluer ce chiffre; Quinte-Curce aboutit à un effectif total de 316 200 hommes, d'autres auteurs anciens n'hésitent pas à parler de 600 000 hommes. Le nombre des combattants réels doit en fait être rabaissé à quelques dizaines de milliers.

C'est que l'armée royale comprend une forte proportion de non-combattants : un document babylonien montre par exemple que chaque cavalier est accompagné de 12 valets ! Au surplus, lorsque le Grand Roi prend le commandement de l'armée, c'est toute la cour qui accomplit une véritable migration : femmes et enfants de la famille royale et des hauts dignitaires, administrateurs et officiers, et surtout serviteurs de toute sorte, soit plusieurs milliers de personnes, se mettent en branle. La plus grande partie de ce «bagage» sera laissée par Darius à Damas avant la bataille; peu après, Parménion n'y capturera pas moins de 778 personnes attachées à la personne du Grand Roi, dont 319 domestiques des cuisines et 329 concubines musiciennes.

La description du pillage du bagage de Damas donne une idée saisissante de l'abondance des richesses royales «qui jonchaient la terre entière : argent mis de côté pour des versements énormes aux troupes, parures de tant d'hommes de la noblesse, de tant de femmes de famille illustre, vaisselle d'or, freins d'or, tentes décorées avec une magnificence royale, de plus, voitures abandonnées par les leurs et débordantes d'un luxe inouï.»

Présent pour la première fois sur un champ de bataille face à Alexandre, Darius combat sur son char entouré des lanciers de sa garde.

La première bataille rangée entre les deux armées royales se déroule en novembre 333 en Cilicie, près du site d'Issos

Choix particulièrement malheureux, car l'armée et la cavalerie perses n'ont aucune chance de pouvoir se déployer à l'aise dans une plaine étroite, limitée par la montagne et par la mer. En dépit de l'ardeur et du courage de la cavalerie - orgueil et élite de l'armée du Grand Roi - la supériorité manœuvrière de l'armée macédonienne s'exprime une nouvelle fois. Darius préfère quitter le champ de bataille, plutôt que de tomber entre les mains de son ennemi, à un moment où déjà «le désastre est manifeste et

««Alexandre promenait partout son regard, cherchant à distinguer Darius. Sitôt qu'il l'eut aperçu, il se porta sur le champ, avec ses cavaliers, contre le Grand Roi en personne, car il était moins désireux de l'emporter sur les Perses que d'être personnellement l'instrument de la victoire.»»

Diodore

Le plus célèbre document contemporain qui mette en scène Alexandre et Darius lors d'une bataille est la fameuse mosaïque de la bataille d'Issos trouvée à Pompéi, dans la maison du Faune; c'est une adaptation d'un tableau probablement peint après la mort du conquérant par Philoxénos d'Erétris.

général». La défaite ne signifie pas la fin de la résistance achéménide : Darius a encore à sa disposition d'immenses réserves d'argent et d'hommes, et quelques généraux rescapés réussissent même à mener une contre-attaque en Asie Mineure. Il n'en reste pas moins que désormais, la route de la Phénicie est ouverte devant Alexandre.

La défaite et la fuite du Grand Roi sont particulièrement graves sur le plan politique

Lui qui se présentait dans ses inscriptions comme le meilleur cavalier, le meilleur archer, le meilleur

«Le roi prit avec lui l'un de ses amis, Héphestion, et ils allèrent trouver les femmes. Tous deux portaient des vêtements identiques et Héphestion l'emportait par la taille et la beauté. Sisygambis prit donc ce dernier pour le roi et se prosterna devant lui...»

javelotier est non seulement vaincu, mais il s'est enfui, abandonnant sur place les insignes du pouvoir, son manteau royal, son arc, son char. La propagande macédonienne ne cesse dès lors d'utiliser ces arguments pour disqualifier Darius qui, à ses yeux, a perdu toute légitimité, surtout face à un Alexandre, remarquable de courage physique. Le roi est également présenté comme un modèle de grandeur d'âme. En effet, dans sa fuite, Darius a abandonné sa mère Sisygambis, sa femme Stateira, deux de ses filles et son jeune fils. Ces prisonniers seront traités avec respect, autre manière pour le vainqueur de se poser en

«... Confuse de sa méprise, elle recommença devant Alexandre. Mais Alexandre prit la parole et dit : « N'ayez aucune inquiétude, Mère : lui aussi est Alexandre. En appelant Mère cette vieille femme, il annonçait l'humanité avec laquelle allaient être traitées ces femmes.»

Diodore

successeur de Darius, dont il refuse hautainement les premières ouvertures.

«Et dorénavant, quand tu auras à t'adresser à moi, fais-le comme au roi de l'Asie; ne m'écris pas d'égal à égal!»

Sur cette déclaration, Alexandre marche sur la Phénicie, la principale base navale achéménide. Sidon se rend sans combattre; Tyr, en revanche, refuse à Alexandre l'accès au sanctuaire de Melqart, exprimant par là sa volonté d'indépendance. La situation insulaire de la cité rend difficile la position des attaquants, à une date (février 332) où les Perses conservent la supériorité sur mer. Au prix de lourdes pertes, Alexandre fait édifier une jetée destinée à relier l'île au continent. Puis il rassemble des ingénieurs de Chypre et de la Phénicie tout entière et fait construire de nombreuses machines de guerre, placées les unes sur la jetée, les autres sur les bateaux de transport de cavalerie.

Les Tyriens se défendent avec acharnement, utilisant toutes les tactiques possibles pour déjouer le siège : ils tentent d'incendier les navires ennemis à l'aide de traits enflammés, de les détruire en jetant d'énormes blocs de pierre du haut des remparts, ils envoient même des nageurs sous-marins chargés de sectionner les câbles des ancres !

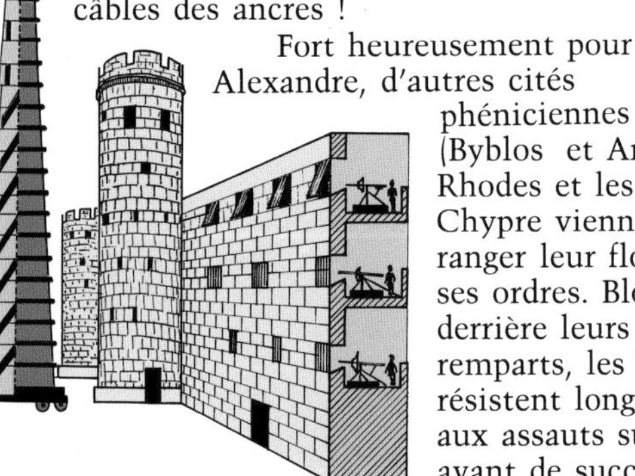

Fort heureusement pour Alexandre, d'autres cités phéniciennes (Byblos et Arados), Rhodes et les cités de Chypre viennent ranger leur flotte sous ses ordres. Bloqués derrière leurs remparts, les Tyriens résistent longtemps aux assauts successifs, avant de succomber,

Les ports phéniciens fournissent à l'Empire les plus gros contingents de marins et de navires de guerre. Tyr était le plus puissant et le plus prospère, d'où l'acharnement d'Alexandre à poursuivre un siège qui durera six mois.

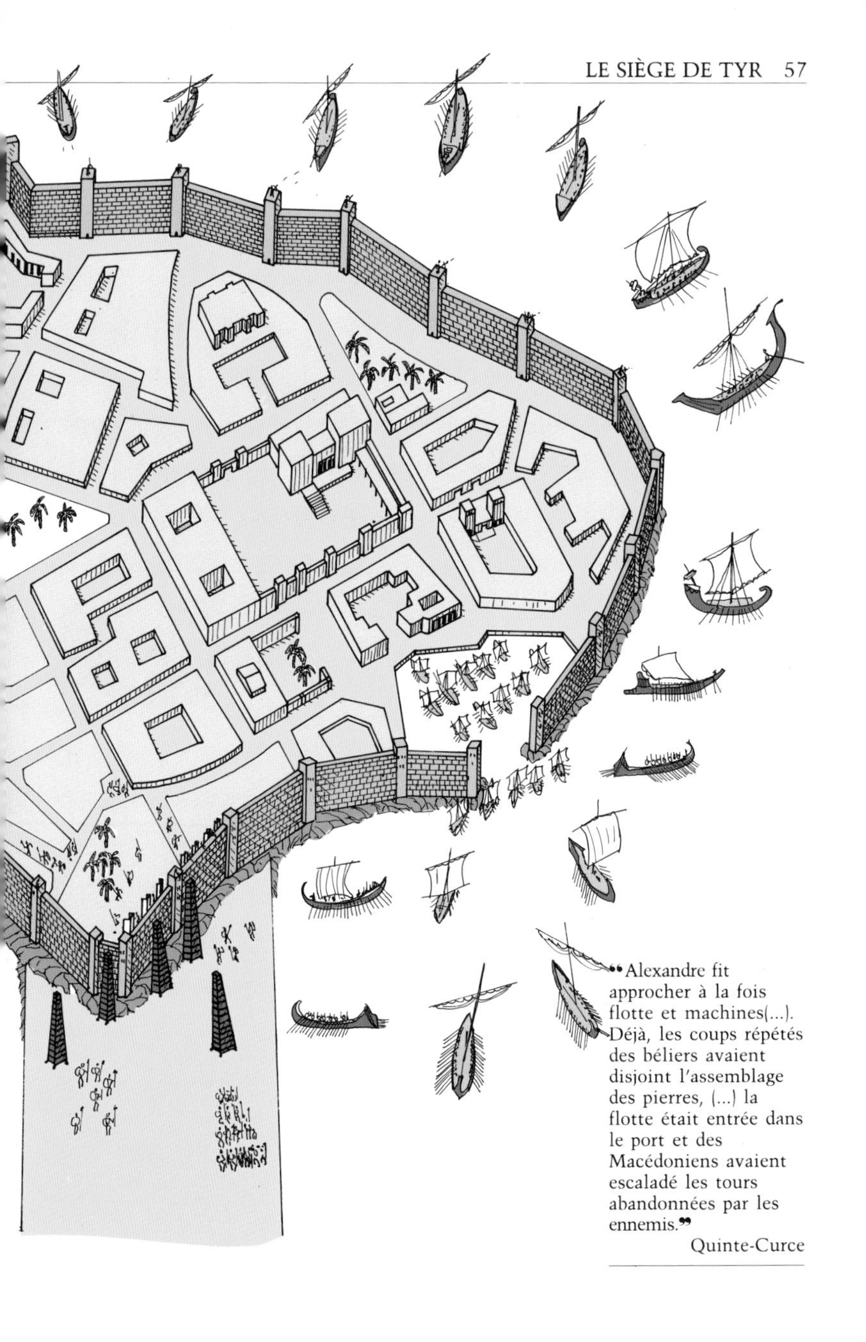

“Alexandre fit approcher à la fois flotte et machines(...). Déjà, les coups répétés des béliers avaient disjoint l'assemblage des pierres, (...) la flotte était entrée dans le port et des Macédoniens avaient escaladé les tours abandonnées par les ennemis.”

Quinte-Curce

au mois d'août 332. C'est une victoire importante pour Alexandre : sa flotte est désormais capable de mettre à mal la flotte perse et de compléter la suprématie gagnée sur terre.

Plus rien ne s'oppose alors à la marche victorieuse d'Alexandre sur l'Égypte

Seule Gaza, puissamment fortifiée et défendue par des contingents de Perses et d'Arabes sous les ordres de Batis, lui offre une résistance vite vaincue.

A l'automne 332, Alexandre fait son entrée en Egypte, à Péluse. Ne rencontrant aucune résistance du satrape perse Mazakès, il prend possession de Memphis, la capitale. Les Egyptiens eux-mêmes acceptent sans problème le nouveau conquérant, qui, à l'instar de ses prédécesseurs perses, prend soin de faire des sacrifices aux dieux locaux, et de manifester en particulier son respect pour le taureau sacré Apis, représentation vivante du dieu Ptah. A ce succès sur terre s'ajoute un succès complet sur mer, la flotte macédonienne ayant réussi à chasser les Perses de l'Egée. Pour compléter sa prise de possession du littoral, Alexandre fonde une ville nouvelle dans le Delta : c'est Alexandrie, la future capitale de l'Egypte.

Il décide également d'aller consulter l'oracle d'Amon, dans l'oasis de Siwah, en plein désert. Heureusement, la marche est marquée par toute une série d'interventions divines : Zeus fait tomber une pluie bienfaisante, et des corbeaux servent de guides à la petite troupe égarée dans les sables. Introduit dans le sanctuaire, Alexandre interroge le prêtre sur sa destinée : «Après avoir entendu ce que son cœur désirait, à ce qu'il prétendit, il revint en Egypte.»

Après le départ d'Alexandre, le pays est confié en théorie à un gouverneur égyptien, Doloaspis, la réalité du pouvoir militaire et économique appartenant en fait à des Grecs et à des Macédoniens.

Les monnaies diffusent l'image du roi-héros; ici, le jeune conquérant porte les cornes de bélier du dieu égyptien Amon, qui, à l'oasis de Siwah, lui aurait promis l'empire du monde.

A son entrée en Egypte, Alexandre a été accueilli avec faveur par l'aristocratie locale. Il doit également composer avec les prêtres, soutiens privilégiés du pouvoir pharaonique. A Louqsor, le sanctuaire est modifié pour devenir une chapelle sur les parois de laquelle Alexandre est représenté en pharaon (à gauche), face au dieu Min, auquel il rend hommage.

Depuis trois ans, Alexandre va de conquête en conquête. Avec ses troupes, il a parcouru des milliers de kilomètres, soumis nombre de villes et de pays, mais il n'a toujours pas vaincu définitivement Darius. Or, après la défaite d'Issos, le Grand Roi a rassemblé à Babylone une nouvelle armée... En ce printemps 331, les Macédoniens reprennent la route de la Mésopotamie.

CHAPITRE III
LA MAINMISE SUR LES GRANDES CAPITALES

En quelques mois de l'automne et de l'hiver 331-330, Alexandre va s'emparer des résidences du Grand Roi : Babylone, Suse, Persépolis, Pasargades. Il y entre en triomphateur.

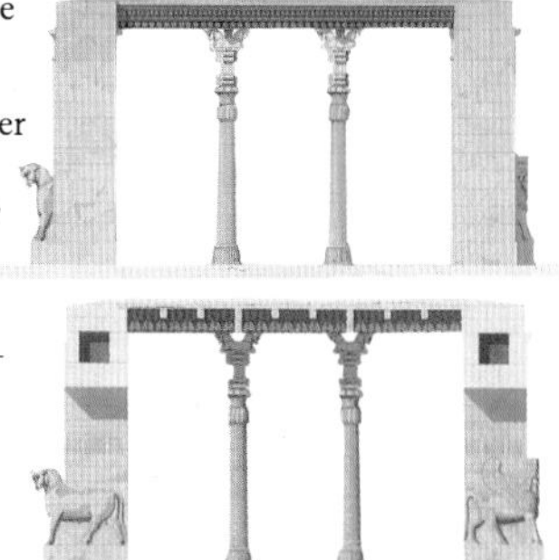

Cette fois, Darius bat le rappel de toutes les troupes disponibles, les fait venir des points les plus lointains de l'Empire : il rassemble ainsi de 500 000 à 1 million d'hommes selon certains auteurs anciens - plus probablement 200 000 fantassins et 45 000 cavaliers, d'après l'estimation de Quinte-Curce. Parmi eux, les fameux cavaliers bactriens et les cavaliers cuirassés scythes venus des steppes d'Asie centrale. Deux cents chars à faux doivent en outre constituer la grande force de l'armée : «Des lances à la pointe de fer dépassaient l'extrémité du timon; de part et d'autre du joug, étaient pointées trois épées, et, entre les rayons des roues, plusieurs têtes de dard faisaient face; en outre, des faux adhéraient au cercle des roues, (...) de façon à trancher tout ce que les chevaux rencontreraient sur leur route.»

"Les Macédoniens se mirent à cerner les chars et à en faire tomber les équipages. Leur immense désastre avait jonché le front de chevaux et de cochers : ceux-ci étaient incapables de maîtriser leurs bêtes affolées, qui, à force de secouer la tête, avaient fait tomber le joug, et même retourné les chars; blessées, elles tiraient des morts; leur effroi les empêchait de s'arrêter, leur épuisement d'avancer..."

Le Grand Roi vient s'établir près du village de Gaugamèles, sur le parcours de la voie Royale

Tirant la leçon d'Issos, il choisit une vaste plaine propice aux mouvements de cavalerie : il fait même aplanir le terrain et planter des pointes de fer dans le sol, pour blesser les chevaux ennemis.

Pendant ce temps, venant de Tyr, Alexandre atteint l'Euphrate à Thapsaque au début de juillet 331. Dès son arrivée, il trouve la voie libre, le satrape Mazée, chargé d'en interdire le passage, ayant quitté la rive gauche. Il peut alors faire passer le fleuve à ses troupes sur deux ponts lancés par ses ingénieurs. Tout aussi curieusement, les Perses ne s'opposent pas plus au passage du Tigre.

La bataille s'engage le 1er octobre. Les chars à faux sont loin d'avoir toute l'efficacité escomptée par Darius, car Alexandre a conseillé à ses

"... Cependant, un petit groupe de quadriges parvint jusqu'aux derniers rangs, tuant ceux qu'ils rencontraient : à terre, gisaient des membres sectionnés, et, comme les blessures chaudes ne causaient pas encore de douleur, les soldats, malgré mutilation et épuisement, ne lâchaient pas leurs armes, jusqu'au moment où ils s'effondraient, morts."

Quinte-Curce

soldats de s'écarter à leur approche et de percer de flèches leurs conducteurs. Malgré la charge victorieuse de Mazée sur l'aile droite macédonienne, la défaite est de nouveau dans le camp des Perses, marquée par une seconde fuite de Darius, qui laisse aux mains d'Alexandre son trésor d'environ 4 000 talents (entre 75 et 100 tonnes d'argent), son arc, ses flèches et son char.

Plutôt que de se lancer à la poursuite de Darius, Alexandre prend la route de Babylone

Vieille cité prestigieuse, bien fortifiée, Babylone a été embellie par les dynasties qui s'y sont succédé depuis des siècles. Devenue, depuis Cyrus le Grand, siège du satrape de Babylonie, elle est également l'une des résidences du Grand Roi, qui loge dans le palais édifié par Darius. Centre d'une région exceptionnellement bien mise en valeur par l'irrigation, Babylone est une cité très riche, comme le sont les grands sanctuaires, gérés comme de grands domaines par des administrateurs liés à l'aristocratie citadine. Au lieu de résister, Mazée vient à la rencontre d'Alexandre avec ses fils, accompagné des autorités civiles et religieuses de la cité. La démarche en elle-même et la remise de cadeaux

Mêlée confuse imaginée par Jan Brueghel de Velours ou scène épurée de ce vase grec du IVe siècle, les deux illustrations représentent le moment où se joue le destin de Darius. Alexandre à cheval et le Grand Roi sur son char, désarmé, s'affrontent en un combat symbolique. Sentant la victoire lui échapper, Darius, comme à Issos, choisit de quitter le champ de bataille.

«Les soldats macédoniens percevaient le claquement des rênes, dont le cocher ne cessait de fouetter l'attelage royal : ce furent les seules traces que Darius laissa de sa fuite.»

Quinte-Curce

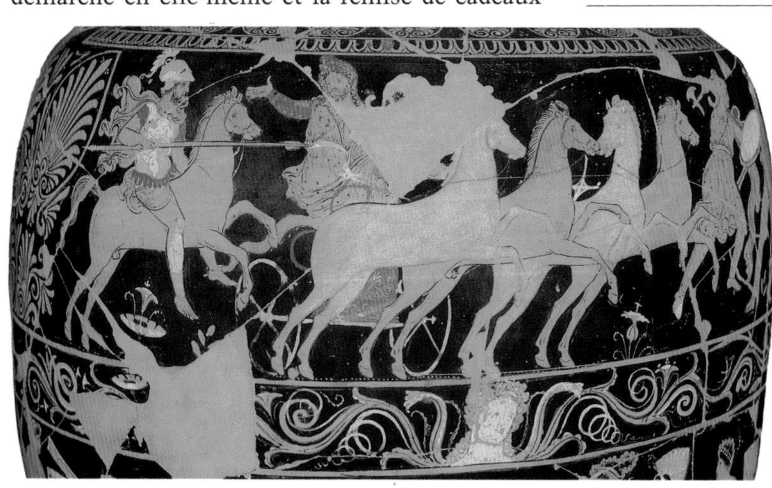

au vainqueur signifient clairement une reddition sans condition. Alexandre fait donc son entrée officielle et triomphale dans la cité, juché sur son char, empruntant des rues jonchées de fleurs et de couronnes et bordées d'autels d'argent; il prend possession du palais et de la citadelle, tandis que le Perse Bagophanès lui remet les clefs du Trésor. Comme en Egypte, Alexandre ne manque pas de manifester publiquement sa dévotion pour les sanctuaires babyloniens : il offre un sacrifice à Bêl-Marduk, le plus grand des dieux babyloniens.

Mazée, l'ancien satrape de Darius, est nommé satrape de Babylonie, Mithrénès, l'ancien chef de garnison de Sardes, satrape d'Arménie : ces dispositions administratives marquent un tournant dans la politique d'Alexandre. C'est en effet la première fois qu'un Perse est nommé à un aussi haut poste. Bien entendu, c'est à des Grecs et à des Macédoniens qu'Alexandre confie les tâches militaires et tributaires. Il n'en reste pas moins que cette nomination de Mazée manifeste le ralliement d'un certain nombre de Perses à Alexandre, tout autant que la volonté de celui-ci de leur confier des responsabilités dans l'empire qu'il conquiert et recrée sur le modèle achéménide.

A la fin de décembre, Suse se rend dans les mêmes conditions que Babylone. Oxathrès, fils du satrape Abulitès, vient au-devant du roi, qui entre ainsi fastueusement dans la ville, suivi des cadeaux du satrape : des dromadaires et des éléphants de l'Inde. Abulitès conserve sa satrapie.

Parmi les lieutenants les plus valeureux de Darius, Mazée, satrape de Syrie, avait occupé de très hauts postes dans le gouvernement de l'Empire. Son effigie apparaît sur les monnaies frappées en Cilicie et Phénicie.

Bâtie au bord du Choaspès, Suse est aux yeux des Grecs la capitale achéménide par excellence

Hérodote la considérait comme le terme de la voie Royale qui venait de Sardes. En dehors des palais construits par plusieurs rois, Suse possède une des plus grandes trésoreries de l'Empire, où les Grands Rois stockaient leurs métaux précieux.

L'évaluation des auteurs anciens varie de 40 000 à 50 000 talents, soit de 1 000 à 1 250 tonnes d'or, auxquelles s'ajoutaient 9 000 talents (225 tonnes) d'or monnayé en dariques.

Alexandre, qui a déjà mis la main sur de nombreux trésors satrapiques et sur le trésor de Babylone, dispose désormais de réserves considérables en métaux précieux. On est bien loin des difficultés financières du départ! Sous l'impulsion du conquérant, une partie des Trésors sera convertie en monnaie frappée dans l'atelier de Babylone, les dariques restant monnaie royale.

Après sa victoire de Gaugamèles, Alexandre fait une entrée triomphale dans Babylone, représentée ici sur une tapisserie d'après un tableau de Charles Le Brun, exécuté pour Louis XIV à Versailles.

“L'aspect d'Alexandre est rendu au mieux par les statues dues à Lysippe, le seul sculpteur par qui lui-même d'ailleurs voulait être représenté.”

Plutarque

Disposant désormais de moyens illimités, Alexandre songe à lever de nouvelles troupes en Europe

Les auteurs anciens minimisent les pertes macédoniennes dans les batailles - 85 cavaliers au Granique, 100 à Gaugamèles -, en attribuant au contraire des chiffres considérables aux pertes achéménides : 1 000 cavaliers au Granique, 100 000 tués à Issos dont 10 000 cavaliers, 300 000 cadavres ennemis dénombrés à Gaugamèles. Ces chiffres ne doivent pas faire illusion, d'autant qu'il faut leur ajouter les

L'ancienne capitale des rois d'Elam, Suse, a été embellie par Darius Ier à partir des années 520. Un vaste palais y fut élevé, décoré par des artistes babyloniens d'après des thèmes de la statuaire assyrienne. Ces sphinx ailés étaient des sortes de génies protecteurs placés sur les murs extérieurs.

nombreux blessés, dont beaucoup sont condamnés, et les soldats épuisés par des marches harassantes en plein été entre Tyr et la vallée du Tigre. Par ailleurs, Alexandre laisse derrière lui de nombreux corps de troupes pour occuper les territoires et parachever la conquête. Il a donc un constant besoin de renforts.

Dès l'automne 334, il renvoie en Macédoine les soldats nouvellement mariés et ordonne à ses lieutenants de «lever sur le pays tout ce qu'ils pourraient comme fantassins et cavaliers». Depuis Gaza, à l'automne 332, il expédie Amyntas en Macédoine «avec pour instruction de sélectionner les jeunes gens aptes au service militaire». Des renforts de Macédoniens et de mercenaires grecs lui sont déjà parvenus à Gordion (3 350 hommes) et à Tyr (4 000 mercenaires). Amyntas amène à son tour des troupes supplémentaires à Babylone ou à Suse, soit 6 500 Macédoniens, 4 100 Thraces et 4 380 mercenaires. Le satrape de Syrie nommé à Babylone, Ménès, reçoit lui aussi de l'argent avec l'ordre de recruter le plus grand nombre possible de mercenaires.

La voie sacrée de Babylone avait pour point de départ la porte d'Ishtar, décorée de briques émaillées bleues, sur lesquelles se détachaient des figures d'animaux à la fois mythiques et réels : 575 dragons et taureaux et 120 lions.

L'effort des pays européens est d'autant plus méritoire que la domination macédonienne y est contestée. La révolte éclate d'abord en Thrace, menée par le stratège macédonien lui-même.

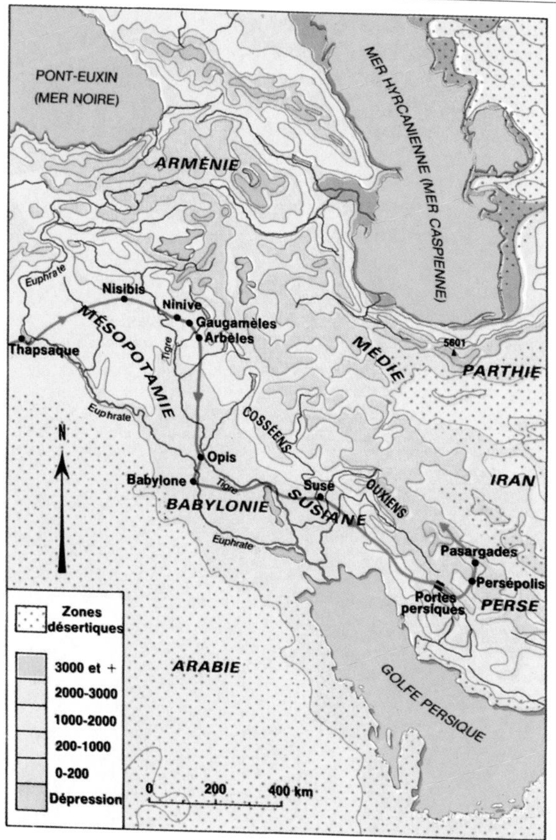

Après sa victoire de Gaugamèles au début d'octobre 331, Alexandre emprunte le parcours de la voie Royale, vers Babylone. Il y trouve des zones habitées offrant de nombreux points de ravitaillement. De Babylone, il va vers l'est en franchissant le Tigre. Il atteint Suse en vingt jours et reprend bientôt la route qui monte vers la Perse. Tandis que le gros de l'armée gagne Persépolis par la voie Royale, Alexandre, à la tête d'un petit détachement, s'enfonce dans les montagnes et s'empare des positions tenues par un lieutenant de Darius aux portes Persiques. Il entre à Persépolis en janvier 330. L'hiver suivant, il s'empare de Pasargades.

Sparte à son tour prend la tête d'une révolte, et réussit même à remporter une première victoire sur une armée macédonienne. Mais ce sera vainement : le déclin de Sparte est irréversible. Ce n'est qu'en octobre 331 qu'Antipater réussit à mettre fin aux troubles, calmant ainsi les inquiétudes d'Alexandre engagé en Babylonie.

Renforcée, l'armée se dirige vers la Perse. Objectif : Persépolis

Après la chaleur épouvantable de l'été babylonien, les soldats venus d'Europe trouvent le froid et la neige sur le plateau Iranien. La grande route de

« Un triple rempart entoure [la citadelle de Persépolis]. Haut de seize coudées [7m], le premier est orné, au sommet d'une ligne de merlons en forme de tours, le second est (...) deux fois plus élevé. La troisième enceinte, enfin, est construite en pierres dures, bien propres à demeurer en place éternellement. »

Diodore

Suse à Persépolis est gardée par toute une série de places fortes. Madatès, un allié de famille de Darius, commande la première, située près de Fahliyun. Après l'avoir fait tomber, Alexandre confie le gros de l'armée à Parménion, lui donnant mission de gagner Persépolis par la grand-route qui passe par Kazerun et Shiraz. Lui-même s'enfonce dans la montagne pour débusquer une armée perse, forte de 20 000 à 40 000 fantassins et 700 cavaliers, qui garde le défilé connu sous le nom de portes Persiques (Tang i-Khas). Il se heurte alors au peuple des Ouxiens, aux chefs desquels le Grand Roi avait l'habitude de faire chaque année des dons, qui scellaient leur accord. Après un raid sanglant, il leur impose un tribut annuel de 100 chevaux, 500 bêtes de somme et 30 000 moutons.

Dans l'impossibilité de forcer les défenses perses, Alexandre les contourne par un sentier de chèvres. Il peut alors redescendre dans la vallée et passer l'Araxe (Pulvar) avant d'arriver à Persépolis en janvier 330. Il y entre sans rencontrer de résistance, comme le lui avait promis dans une lettre le gouverneur perse Tiridatès. Politiquement c'est une victoire de première importance.

Persépolis, bâtie à l'initiative de Darius Ier et embellie par tous ses successeurs, est la capitale historique la plus prestigieuse

Les palais, les magasins, les Trésoreries et les représentations figurées symbolisent et exaltent la figure royale et la domination des Perses sur tous les peuples de l'Empire.

Les troupes font main basse sur un butin prodigieux : «Les Macédoniens envahirent la cité, massacrant tous les hommes et pillant les propriétés. Alors, on enlevait de l'argent en abondance, on pillait de l'or, et beaucoup de somptueux vêtements, les uns brodés de pourpre, les autres damassés d'or, devenaient la récompense des vainqueurs. Ils passèrent leur journée à piller, sans assouvir leur insatiable avidité. Quant aux femmes, toutes parées de leurs

Au contraire de ses successeurs inhumés dans des tombes rupestres situées près de Persépolis, Cyrus se fit construire un tombeau à Pasargades, sa capitale.

bijoux, ils les emmenaient de force, traitant comme des esclaves la troupe des captives de guerre.» De son côté, Alexandre met la main sur l'énorme trésor royal - 120 000 talents, soit 3 000 tonnes d'or - et décide d'en transférer une grande partie à Suse. Selon Plutarque, 10 000 paires de mulets et 5 000 chameaux suffisent à peine pour transporter ce trésor.

Après Persépolis, Alexandre investit Pasargades, l'ancienne capitale perse

Située à une quarantaine de kilomètres de Persépolis, la cité a été construite par Cyrus après sa victoire sur les Mèdes. C'est là que s'élève son tombeau. C'est également à Pasargades, dans un temple dédié à la déesse Anahita, qu'a lieu

« A l'intérieur de cette chambre, était placé un sarcophage d'or où le corps de Cyrus avait été enseveli et, à côté du sarcophage, un lit avec des pieds en or travaillé; sa literie était constituée de couvertures de Babylone et, comme matelas, de pelisses pourpres; sur le tout, il y avait une robe perse et des tuniques également de fabrication babylonienne. »

Arrien

l'intronisation des Grands Rois. Au cours de l'hiver 330, Alexandre parcourt la Perse intérieure, et s'empare de la ville que lui livre le gouverneur Gobarès, augmentant au passage ses réserves financières des 6 000 talents trouvés dans le Trésor. Il prend un soin tout particulier du tombeau de Cyrus, à tel point qu'on le surnomme *philokuros*, «ami de Cyrus». Cette attitude a un objectif politique : montrer à la population perse qu'il agit en conformité avec les traditions royales achéménides et convaincre la noblesse de se rallier à lui.

Construite sur une éminence qui domine une vaste plaine, Persépolis est une ville créée entièrement par Darius Ier : les travaux n'y cessèrent pas jusqu'aux derniers rois de la dynastie, chacun apportant des constructions nouvelles ou des modifications aux bâtiments existants.

Un certain nombre de Perses sont déjà persuadés des nécessités de la collaboration : à Persépolis, Tiridatès conserve son poste de trésorier et le satrape nommé par Alexandre est perse. Mais ce n'est pas le cas de tous, loin de là. Les Perses dans leur ensemble sont restés hostiles à Alexandre : l'«usurpateur» ne peut ni se présenter comme Achéménide ni se targuer de la protection d'Ahura-Mazda, le grand dieu perse.

De retour à Persépolis, le roi en avril 330 tire les conclusions de cet échec. Au cours d'une fête et d'une beuverie, il fait mettre le feu aux palais royaux. D'une certaine manière, cette destruction marque le terme de la guerre de représailles. Mais le geste est destiné moins aux Grecs qu'aux Perses eux-mêmes : le roi veut leur montrer que l'Empire qu'ils ont construit a disparu, et qu'il est leur nouveau maître.

Les façades des palais, tel celui de Darius Ier ici reconstitué, étaient ornées de briques émaillées dont les couleurs rehaussaient le luxe du centre du pouvoir. Au-dessus d'une frise de gardes royaux, l'image du grand dieu Ahura-Mazda est représentée sous la forme d'un personnage inscrit dans un disque ailé. Le palais était entouré d'un jardin - le fameux paradis perse - conférant au paysage sa luxuriance.

Après sa défaite de Gaugamèles, Darius s'est réfugié à Ecbatane, résidence d'été des Grands Rois. Là, au milieu des temples et des splendides palais couverts de feuilles d'or et d'argent, il songe à sa revanche; il veut s'opposer une fois de plus à Alexandre en une bataille rangée, la dernière, où cette fois le sort des armes lui serait favorable.

CHAPITRE IV
LE NOUVEAU GRAND ROI

La littérature persane d'époque islamique a fait d'Alexandre le modèle du roi chevaleresque, juste, porteur des valeurs de l'islam, d'où une multitude de représentations le transformant en prophète. Changement radical par rapport à l'attitude des écrivains pré-islamiques, qui en donnaient l'image d'un conquérant sanguinaire et destructeur.

En dépit de la perte de Babylone, de Suse et de Persépolis, Darius dispose encore de vastes ressources financières. Il commence donc à rassembler une nouvelle armée autour des contingents qui l'ont accompagné dans sa fuite, faisant aussi appel aux soldats levés dans les satrapies de l'est de l'Iran. Et il n'est pas seul à Ecbatane : Barsaentès, satrape d'Arachosie, Satibarzanès, satrape d'Arie, Bessos, satrape de Bactriane et d'autres nobles perses, dont Nabarzanès, le chiliarque, l'officier le plus important de la cour, lui sont restés fidèles. Il veut affronter Alexandre. Mais, devant la réticence des peuples voisins à lui envoyer des contingents, il est contraint, une fois de plus, à fuir, par la route de l'est, avec 3 000 cavaliers et de nombreux fantassins (entre 10 000 et 30 000), non sans avoir prélevé 7 000 ou 8 000 talents (175 ou 200 tonnes) dans le Trésor d'Ecbatane.

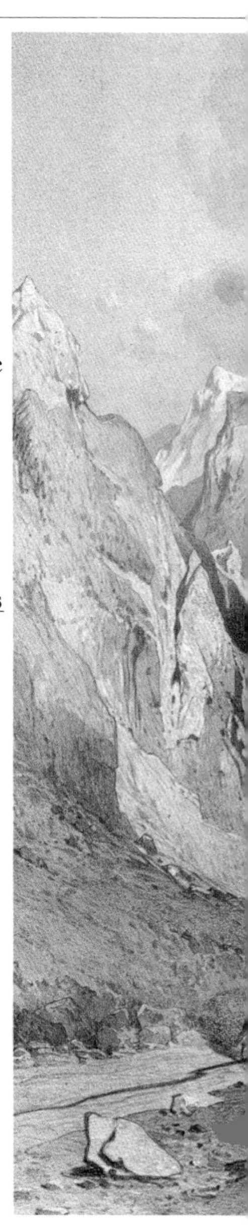

Pour Alexandre, le but est clair : s'emparer de Darius, et mettre un terme à la domination des Achéménides

Apprenant par Bisthanès (un fils du précédent roi Artaxerxès III) la fuite de son adversaire, il envoie à Ecbatane Parménion et les bagages, dont son Trésor, et se lance à marches forcées à la poursuite de Darius : «En cours de route, vu qu'il avançait à toute vitesse, beaucoup de soldats furent laissés en arrière, épuisés, et beaucoup de chevaux mouraient. Il n'en poursuivit pas moins sa route à la même vitesse.» Darius, lui, continue de marcher vers l'est, au-delà des portes Caspiennes. Mais cette fuite éperdue devant Alexandre sème le trouble dans son entourage : pour échapper au Macédonien, la seule solution serait d'abandonner sur place les femmes et les bagages, et

Ecbatane était reliée à la Bactriane par une grande voie stratégique, gardée par des garnisons et bordée de caravansérails et de points d'eau. La traversée des montagnes s'effectuait par des défilés qui constituaient autant de défenses utilisables pour freiner l'avance d'une armée ennemie. Telle était par exemple la fonction des portes Ciliciennes, entre la Cappadoce et Tarse, et des portes Caspiennes (ci-contre), à l'est d'Ecbatane, que Darius venait de traverser dans l'intention de former une nouvelle ligne de défense en Bactriane. Alexandre les franchit sans rencontrer de résistance. Elles forment aujourd'hui la passe de Khaouar, dans les montagnes du Mazendéran.

Les chefs perses portaient un glaive court et droit, ainsi qu'un poignard recourbé. Même en vêtement de cour, ces nobles perses ne quittaient pas leur arc, ni leur carquois, auquel était accroché un fouet.

de gagner l'Iran oriental à bride abattue. Le prestige du Grand Roi, cette fois, est atteint. Découragés, des contingents entiers l'abandonnent, et des Perses de sa suite viennent se ranger aux ordres d'Alexandre.

Désormais, c'est chez les siens que Darius court les plus grands risques : un complot vise à le faire disparaître

L'âme du complot est le satrape Bessos, qui se flatte de liens de parenté avec la famille des Achéménides. Soutenu par Barsaentès et Nabarzanès et fort de l'appui des contingents de sa satrapie, il fait arrêter Darius.

Les comploteurs «avaient décidé que, s'ils apprenaient qu'Alexandre continuait à les poursuivre, ils lui livreraient Darius, ce qui leur vaudrait des conditions avantageuses; si, au contraire, ils étaient informés qu'il revenait sur ses pas, eux réuniraient la plus grande armée qu'ils pourraient et préserveraient leur pouvoir en commun. Pour le moment, ce serait Bessos qui gouvernerait». En juillet 330, à la nouvelle de la prochaine arrivée d'Alexandre, ils décident d'éliminer Darius, enfermé jusque-là dans sa voiture; ce sont Barsaentès et Satibarzanès qui lui portent les coups mortels avant de s'enfuir.

Darius expire dans les bras d'Alexandre.

«Mort, il obtint d'Alexandre une sépulture royale et, pour ses enfants, les soins et l'éducation qu'ils auraient reçus s'il avait régné. Et il eut Alexandre pour gendre.»

Arrien

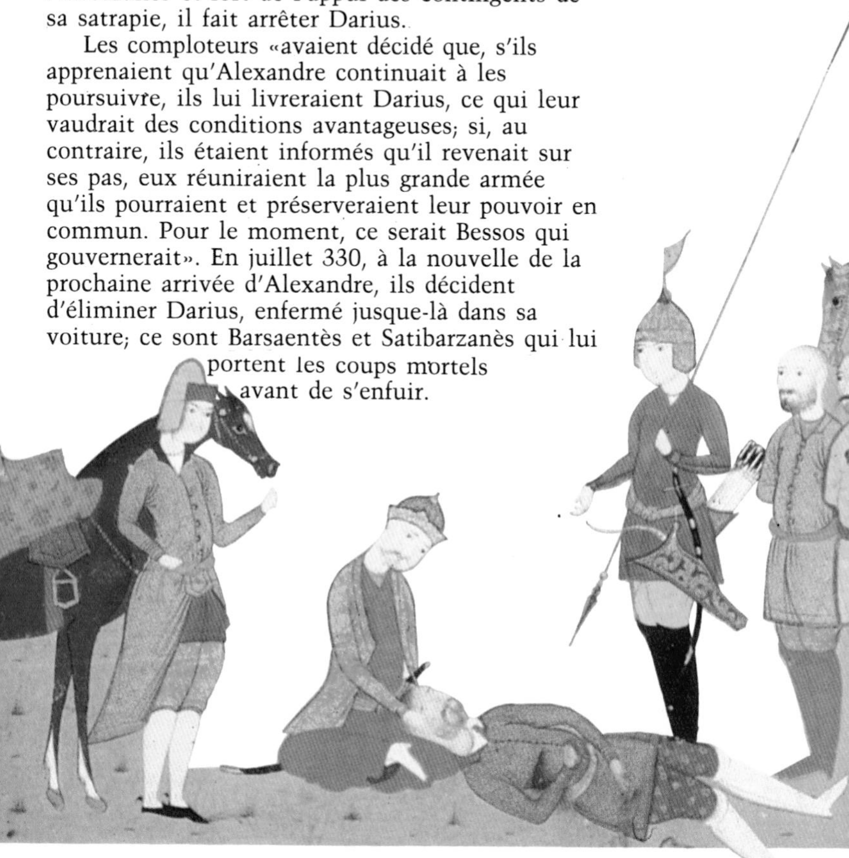

L'élimination de Darius est pour Alexandre une immense aubaine politique

Loin d'apparaître comme un usurpateur, il peut se présenter désormais en vengeur du Grand Roi : une tradition tardive ne montre-t-elle pas ce dernier reconnaissant Alexandre comme son successeur? L'expédition vers l'est contre Bessos peut être présentée comme une guerre menée au nom des idéaux achéménides : en effet, Bessos est non seulement un régicide, mais également un usurpateur puisque, lors de son retour à Bactres, il s'est fait acclamer Grand Roi.

Par ailleurs, Alexandre prend soin de la dépouille mortelle de Darius, la fait convoyer jusqu'à Persépolis, où elle doit être inhumée à la manière perse traditionnelle. Enfin, la disparition

En guise d'oraison funèbre, Arrien décrit Darius comme le prototype du Barbare lâche et veule cher aux Grecs, minimisant par là même sans le vouloir la portée des victoires d'Alexandre.

« Telle fut la fin de Darius (...). Il fut mou et peu avisé en ce qui concerne la guerre mais , pour le reste, il ne fit jamais preuve de cruauté ou bien il n'en eut jamais l'occasion (...). Sa vie fut une succession ininterrompue de malheurs (...). Tout de suite, ses satrapes furent battus dans le combat du Granique, (...) puis vint sa propre défaite à Issos, où il vit sa mère, sa femme et ses enfants prisonniers de guerre. En outre, lui même à Arbèles [Gaugamèles] s'était déshonoré en prenant la fuite dans les premiers et il avait causé la perte de la plus grande armée de toute la race barbare. Puis, banni de son propre empire et errant, il avait, pour finir, été victime de la pire trahison de la part de siens, puisque se retrouvant dans un chariot d'infamie, à la fois roi et prisonnier dans les fers; et finalement, il avait péri sous les coups de ses plus intimes familiers, conjurés contre lui. Il avait environ cinquante ans. »

Arrien

de Darius amène les nobles perses de son entourage à se rallier en masse à Alexandre.

La collaboration des élites iraniennes lui est d'autant plus indispensable que, dans l'armée, certains contingents commencent de trouver le temps long. En Médie, les cavaliers thessaliens et les alliés (au nombre de 7 000 en 334) sont renvoyés dans leurs foyers; un certain nombre (130 Thessaliens) restent comme mercenaires. Ce départ signifie la fin de la guerre hellénique, mais il risque de poser des problèmes à Alexandre, dont les besoins en hommes ne diminuent pas : ne serait-ce que pour garder le Trésor d'Ecbatane, il a dû laisser 6 000 Macédoniens dans la ville.

Darius mort, les soldats macédoniens considèrent la partie finie, et souhaitent rentrer chez eux

Quinte-Curce rapporte qu'en Parthie l'armée est gagnée par une rumeur selon laquelle «le roi, satisfait de ce qu'il avait réalisé, avait décidé de rentrer immédiatement en Macédoine». Les soldats commencent même à faire leurs paquetages! Alexandre doit les rassembler et leur tenir un discours revigorant. «Ces paroles provoquèrent, de la part des soldats, le plus vif enthousiasme»; il n'en reste pas moins qu'Alexandre repousse plutôt qu'il ne règle le problème. Dans les années suivantes, l'appel aux contingents locaux va devenir une nécessité impérative, même si des renforts venus de Grèce et d'Asie Mineure continuent d'arriver épisodiquement jusqu'en Inde.

En plein été 330, Alexandre prend la route directe de l'est pour gagner la Bactriane

Il doit emprunter la grande route stratégique et commerciale, appelée route du Khorassan à l'époque médiévale. En accord avec Bessos, Satibarzanès, qui a conservé son poste de satrape d'Arie, se soulève, ce qui oblige le roi à revenir vers le sud pour châtier le rebelle. D'où un changement d'itinéraire : il faut maintenant

Au printemps 330, Alexandre prend la route d'Ecbatane pour s'emparer de Darius, qui est assassiné en juillet en Parthie. Rappelé par une rébellion sur ses arrières, le nouveau Grand Roi quitte la route de Bactriane pour marcher vers le sud, vers l'Arie et le plateau Iranien central. A l'automne, il prend la Drangiane, puis hiverne sur le site de Kandahar. Au début du printemps 329, il poursuit sa marche à travers les montagnes vers la Bactriane (la région de Kaboul). De Kaboul à Bactres,où ils trouveront de belles plaines fertiles, les soldats passent à travers l'Hindu-Kuch, couvert de neige et de glaces. Après une courte halte, Alexandre franchit l'Oxus (Amu Darya) et pénètre en Sogdiane (capitale Maracanda , actuelle Samarkand). Il poursuit vers l'Iaxartes (Syr Darya). Les deux années suivantes, il doit réduire la résistance des petits princes de Sogdiane et de Bactriane. A la fin du printemps 327, il repasse l'Hindu-Kuch, prépare son armée sur le site d'Alexandrie du Caucase et, à l'automne, la conduit vers l'Indus.

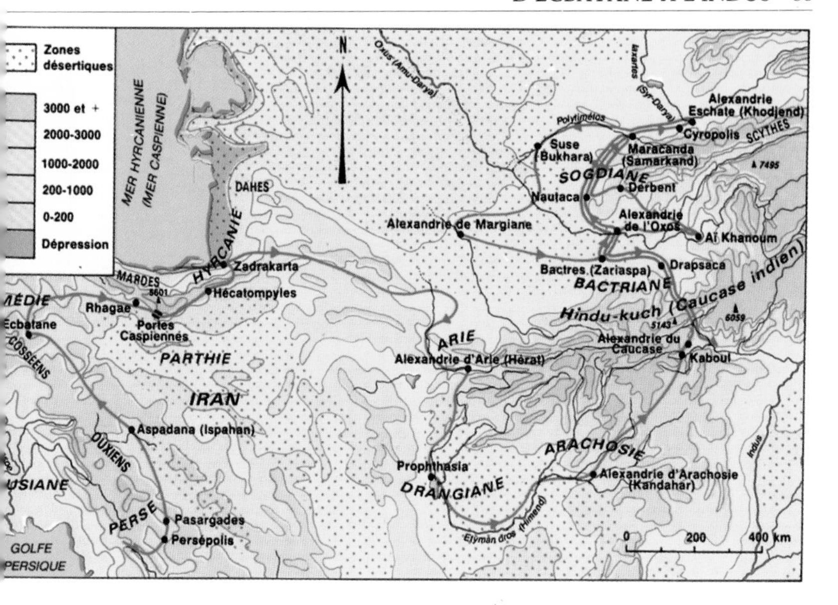

gagner la Bactriane par une route beaucoup plus longue et plus difficile, traverser l'Arie, la Drangiane et l'Arachosie, régions qui constituent une bonne part de l'Afghanistan d'aujourd'hui.

Apprenant que Satibarzanès s'est une nouvelle fois révolté sur ses arrières, Alexandre envoie en Arie une armée chargée de punir le rebelle. La bataille rangée reste indécise, et Satibarzanès «lança un défi à quiconque voulait se battre contre lui, homme à homme; lui, il garderait pendant le duel la tête nue». Un chef macédonien, Erygyios, relève le défi : «Le Barbare fut le premier à lancer son javelot; Erygyios l'évita d'une légère inclinaison de tête, puis, donnant de l'éperon, il dirigea sa sarisse contre le Barbare, dont il transperça la gorge, si bien que l'arme ressortit par la nuque.»

Quant au satrape d'Arachosie, Barsaentès, il est mis à mort par Alexandre pour sa participation au meurtre de Darius.

La conquête de la Sogdiane et de la Bactriane est accompagnée de nombreuses fondations de villes de garnison : sur les bords du Syr Daria s'élève Alexandrie l'Ultime limite septentrionale de la conquête.

Dans la capitale de la Drangiane, en automne 330, la première crise ouverte éclate entre le roi et la noblesse macédonienne. Des questions de cérémonial servent de prétexte

Accusé de complot, Philotas, l'un des plus proches amis d'Alexandre, le fils de son vieux conseiller Parménion, est arrêté, jugé, condamné et exécuté.

Que s'est-il passé? Officiellement, Philotas avait en privé critiqué Alexandre, qui avait commencé d'adopter le cérémonial de cour achéménide, ceignant sa tête du diadème, revêtant une robe de cérémonie fort proche de celle du Grand Roi, et utilisant même le sceau de Darius pour sa correspondance. Copiant en cela les souverains perses, il s'était entouré d'un harem de 365 concubines. Face à ces initiatives, les Macédoniens réagissent violemment, même si certains, tel Héphestion, jouent le jeu.

En fait, il semble bien qu'Alexandre a profité de la dénonciation d'un complot pour éliminer un homme trop puissant : on retrouve là l'histoire des rapports conflictuels entre aristocratie et monarchie en Macédoine. Philotas, commandant des Compagnons, portant le titre d'hipparque, c'est-à-dire de chef de la cavalerie, figurait parmi les premiers de ces nobles; son père, Parménion, sera d'ailleurs assassiné peu après par des sicaires envoyés tout exprès par le roi à Ecbatane.

Le dénouement brutal de l'affaire montre que le roi redoute le développement d'une opposition à son pouvoir et à sa politique. Ses craintes sont d'autant plus fondées que les réticences d'une partie de la noblesse risquent de se conjuguer avec la mauvaise volonté de certains soldats. Pour parer à ce danger, «il enrôle dans une seule unité, qu'il nomme Bataillon des indisciplinés, ceux qui tiennent contre lui des propos hostiles, ceux que la mort de Parménion a indignés, et en outre ceux qui, dans les lettres expédiées en Macédoine, ont écrit des choses contraires à l'intérêt du roi. Il ne veut pas que la franchise déplacée de leur langage corrompe le reste de l'armée».

Sur cette miniature qui illustre un poème épique de Nizâmi (écrivain persan du XVIIe siècle), Alexandre trône en majesté sous un dais et accorde audience. Le poète fait manifestement référence à l'adoption par le roi macédonien des coutumes de cour achéménides.

«Les mœurs de chez lui, le pouvoir sainement mesuré des rois de Macédoine, leur allure de citoyens, lui paraissaient insuffisants pour sa grandeur, et il prenait pour modèle la monarchie perse (...). Il avait le vif désir de voir les vainqueurs de tant de nations se plier peu à peu à des fonctions serviles et se mettre au niveau des captifs. Bien sûr, il disait ne faire que porter les dépouilles des Perses; mais, en même temps, il avait revêtu leurs mœurs et l'arrogance du vêtement entraînait l'orgueil du cœur.»

Quinte-Curce

Malgré la famine, le froid, l'épuisement, le désespoir, au printemps 329, l'armée reprend sa marche contre Bessos

Comme l'ont fait les soldats d'Alexandre, les Afghans utilisent pour traverser l'Oxus des radeaux faits d'outres gonflées de paille, qu'ils dirigent à la perche.

Dans les conditions les plus difficiles, les soldats doivent gravir les pentes de l'Hindu-Kuch par la vallée du Panshir : les vivres manquent; il faut même abattre les bêtes de somme; le miel, le suc de sésame, le vin, produits de première nécessité, atteignent des cours astronomiques, car les paysans stockent leurs réserves dans des silos souterrains indétectables.

De son côté, Bessos applique la tactique de la terre brûlée. Mais, surpris par la rapide avance d'Alexandre, il se résout à quitter la Bactriane et à se replier au-delà de l'Oxus. La plupart de ses contingents l'abandonnent alors. Alexandre s'empare sans grande difficulté de la capitale, Bactres, située au milieu d'une splendide oasis et y nomme satrape le Perse Artabaze.

Bessos ne résiste pas longtemps. Dans un dernier sursaut pour barrer la route à Alexandre, il fait détruire tous les ponts et les bacs de l'Oxus : les soldats macédoniens passent pourtant, sur des radeaux faits de peaux gonflées de paille. Et c'est par la traîtrise d'un noble sogdien, Spitaménès, que finit l'équipée de Bessos : il est bientôt livré à Alexandre. Spitaménès prend lui-même la tête de la résistance aux Macédoniens. Torturé «à la manière barbare», Bessos a d'abord le nez et les oreilles coupés. Puis il est jugé à Ecbatane, par une assemblée de nobles mèdes et perses. Le meurtre de Darius est vengé!

«Suivant les instructions d'Alexandre, ses soldats mirent les hommes à mort et s'emparèrent des femmes, des enfants et des autres biens à piller»

Le cycle révolte-répression commence. La pénétration vers l'est est de plus en plus difficile : pendant deux ans, en 329 et 328, Alexandre se heurte à la résistance des habitants de la Bactriane et surtout de la Sogdiane. La première révolte éclate alors que le roi se trouve à Maracanda - aujourd'hui Samarkand. Les populations riveraines de l'Iaxartes se soulèvent, confiantes dans les fortifications puissantes de leurs villes, à l'abri desquelles sont venus se réfugier les paysans des alentours. Alexandre et ses compagnons doivent mener une guerre de siège contre sept villes, en particulier contre la plus puissante d'entre elles, Cyropolis, construite par Cyrus le Grand.

A la fin du siècle dernier, on a découvert au bord de l'Oxus une cache renfermant toute une série d'objets précieux d'or et d'argent qui témoignent des rapports étroits entre le monde sédentaire et le monde des steppes habité par les peuples scythes. Exemple, ce char à bancs en or tiré par quatre chevaux, réplique miniaturisée des chars utilisés par les nomades des steppes. Hérodote caractérisait les Scythes d'Europe (Ukraine) comme vivant dans des chars «porte-maisons».

Le traitement infligé aux habitants est impitoyable : la mort pour les hommes, l'esclavage pour les femmes et les enfants et la déportation dans les nouvelles colonies.

Face à cette offensive, les populations scythes installées sur la rive droite de l'Iaxartes prennent peur. Vivant pour beaucoup à la manière nomade, elles craignent qu'un nouveau conquérant ne vienne perturber leurs échanges traditionnels avec les peuples sédentaires. Contre tous les avis, Alexandre décide de passer le fleuve. Cette expédition punitive sans lendemain convainc le chef des tribus scythes de demander la paix. L'année suivante, en 328, son successeur vient offrir à Alexandre de sceller leur amitié par un mariage : la proposition reste sans suite, mais nulle guerre n'est ouverte contre les Macédoniens.

Les attaques contre Alexandre se multiplient, sur plusieurs fronts à la fois

Au moment où les Scythes le menacent, Spitaménès vient assiéger Maracanda. Alexandre envoie contre lui une troupe de 1 400 cavaliers et de 1 500 fantassins, que leurs chefs lancent dans une attaque irréfléchie. Un véritable désastre s'ensuit, les soldats sont décimés dans la vallée du Polytimétos (Zerafshan).

Les cavaliers scythes constituaient un régiment d'élite dans les armées du Grand Roi, et avaient même participé aux combats en Grèce, lors des guerres médiques. Darius III fit appel à eux, à Gaugamèles. Des contingents scythes se joignirent un temps à Bessos et à Spitaménès avant de se rallier à Alexandre.

C'est la première défaite des Macédoniens en rase campagne. La situation est d'autant plus difficile que Spitaménès refuse systématiquement la bataille rangée. Cette défaite risquant d'avoir des répercussions sur le moral de l'armée, Alexandre «eut l'adresse de cacher le désastre et, sous peine de mort, défendit aux rescapés de divulguer la réalité».

En Sogdiane, la résistance s'organise également autour de petits princes locaux qui disposent de territoires, d'armées levées parmi leurs paysans et de châteaux-forteresses. Ce n'est qu'au cours de l'année 328 qu'Alexandre réussit à en venir à bout, dans le même temps que Spitaménès disparaît, victime de ses propres alliés. Face à ces exemples de résistance, bien des nobles, au contraire, se rendent à Alexandre, contre promesse de conserver leurs terres et toute leur fortune.

Une ombre poursuivra désormais le roi, celle de Kleitos, l'ami de toujours

La présence de plus en plus massive d'Iraniens autour du roi mécontente certains nobles macédoniens. Au cours d'un banquet bien arrosé tenu à Samarkand, Kleitos, frère de lait d'Alexandre, prend la parole : il accuse le roi de se muer en despote de type perse, et d'oublier les usages de la royauté macédonienne, qui se doit de respecter certaines formes dans les rapports qu'elle entretient avec la noblesse. Pris d'une colère incoercible, Alexandre tue Kleitos de ses propres mains.

Certains peuples scythes vivant au-delà de l'Iaxartes étaient sujets du Grand Roi. En 516-515, Darius Ier vainquit le roi Shunkha qu'il fit représenter parmi les rois rebelles sur la falaise de Behistoun. Il est reconnaissable à son bonnet pointu, qui est à l'origine du nom que les Perses donnaient à ce peuple: les «Scythes au bonnet en pointe de flèche».

Pour sceller son alliance ave la noblesse iranienne, Alexandre décide en 327 de contracter un mariage hautement symbolique avec Roxane, princesse d'une exceptionnelle beauté. De plus, il convainc plusieurs de ses compagnons d'épouser eux aussi des princesses bactriennes. Les fêtes sont somptueuses, mais célébrées selon les rites macédoniens, ce qui démontre bien qu'il ne s'agit pas d'une assimilation avec les vaincus. pour plus de sûreté, d'ailleurs, les nobles ralliés sont contraints de fournir des otages de fidélité : aisni Oxyarthès, le père de Roxane, doit laisser deux de ses fils accompagner le conquérant en Inde.

"Dans toute la flamme de son désir, alexandre fit apporter de pain, selon la coutume de chez lui; c'était là chez les macédoniens le symbole le plus sacré de l'union charnelle; on le partageait avec une épéeet chaque époux y goûtait [...] De la sorte, le roi de l'Asie et de l'Europe s'unit en mariage à une captive qui allait lui donner l'enfant qui commanderait aux vainqueurs."

Quinte-Curce

En dépit des critiques, Alexandre poursuit sa politique de collaboration avec les Perses

Le symbole le plus éclatant en sera son mariage, célébré dans l'hiver 328-327, avec Roxane, la fille du noble bactrien Oxyarthès.

Peu de temps après, néanmoins, une nouvelle opposition se manifeste, cette fois menée par Callisthène, le neveu d'Aristote. L'origine en est l'obligation faite à tous, Macédoniens et Perses, d'accomplir un geste de déférence au moment de leur introduction en audience devant Alexandre. Manifestement, beaucoup de Macédoniens prennent ombrage à se voir mis sur le même plan que les Perses. Alexandre jette en prison Callisthène mais il a la sagesse de ne plus exiger ce cérémonial.

Toutes les mesures sont prises pour maintenir l'ordre dans les territoires conquis et y recruter de nouveaux soldats

Plusieurs villes à vocation militaire autant que politique, ainsi que des colonies et des garnisons - elles exclusivement militaires - sont fondées et mises sous l'autorité d'un satrape et de généraux grecs et macédoniens. D'autre part, Alexandre fait lever dans le pays 30 000 jeunes gens, contraints de se présenter en armes : il s'agit d'éviter tout soulèvement sur les arrières, ces jeunes recrues jouant le double rôle d'otages et de soldats. Enfin, il laisse 15 000 hommes au Macédonien Amyntas, à la tête de la satrapie de Bactriane.

Avant de partir pour l'Inde, il lui faut encore lever de nouveaux soldats : au long de ces dures campagnes, les pertes ont été sévères, les désertions nombreuses et les contingents affaiblis encore par l'installation de nombreux Grecs et Macédoniens dans les villes nouvelles et les colonies militaires, souvent parce qu'ils étaient blessés ou trop vieux pour combattre : au total plusieurs milliers d'hommes. Les renforts (20 000 hommes levés en Grèce et en Asie Mineure pendant l'hiver 329-328) ne compensent pas les pertes, pas plus qu'ils ne permettent de constituer une armée puissante pour l'expédition en Inde.

Il faut donc faire appel aux contingents locaux.

Soucieux également de préparer l'avenir, Alexandre incite ses soldats à épouser dans les règles leurs concubines asiatiques, une manière d'atténuer leur regret du pays natal et de laisser des fils susceptibles d'être enrôlés à leur tour. Dans ces conditions, l'armée qui prend la route de l'Inde est bien différente de celle qui avait débarqué sept ans plus tôt en Asie Mineure. En dehors des Macédoniens et des Grecs, on y trouve des Scythes, et d'autres cavaliers levés en Bactriane, en Sogdiane, en Arachosie ou dans les Parapamisades. Alexandre mène ainsi à bien ses deux objectifs : utiliser les Iraniens à son service sans faire perdre aux Macédoniens leur place de peuple conquérant.

Fondée par Alexandre dans le nord de l'Afghanistan, Aï Khanoum a conservé jusqu'à sa destruction en 145 av. J.-C. son caractère de colonie grecque. Retrouvée dans l'un des sanctuaires, cette plaque d'argent représente la déesse Cybèle sur son char tiré par des lions et conduit par une Victoire. Le paysage de montagnes est dominé par le Soleil, la Lune et une étoile. Un prêtre tient un parasol au-dessus de la déesse, tandis qu'un second officiant dépose une offrande sur un autel.

Alexandre reprend à son compte le cérémonial de la cour perse, en tentant d'imposer le rite de l'audience officielle. Assis en majesté sur son trône, le Grand Roi reçoit un visiteur de marque qui doit lui adresser un baiser de la main droite tout en inclinant le buste. C'est ce que les Grecs appellent «proskynèse», en l'interprétant à tort comme une preuve de la divinisation du roi.

Darius Ier, en 516-515, s'était rendu maître du Gandhara et du Sind, mais en deux siècles, l'autorité des Achéménides s'est quelque peu émoussée. En 326, plusieurs royaumes indiens se partagent les territoires de la haute vallée de l'Indus et de ses affluents. Et l'ambition d'Alexandre est bien de restaurer à son profit l'ancienne souveraineté perse.

CHAPITRE V

DE L'INDUS AU GOLFE PERSIQUE

Dès son arrivée dans la vallée de l'Indus, Alexandre (à gauche sur une représentation d'époque moghole) impose aux princes indiens de lui fournir des éléphants de combat, à l'utilisation desquels ses soldats devront peu à peu s'habituer. Conduits par un cornac indien, les éléphants portent une sorte de tour qui sert de protection aux Macédoniens.

Avant de se lancer dans l'aventure indienne, Alexandre s'assure la collaboration de Taxilès, l'un des souverains locaux qui, avec Abisarès et Poros, dominent la situation politique de ces régions. Il est ainsi mis au courant des différentes rivalités qui déchirent le pays - tension entre Poros et Taxilès, existence de peuples et de cités indépendants qu'il est urgent de soumettre.

Au départ de Nicée, où les Macédoniens ont passé l'hiver, l'armée est divisée en deux. Perdiccas et Héphestion, accompagnés de Taxilès, ont pour mission de remonter le Kabul-Rud (le Kôphèn), de «pacifier» le Gandhara et de gagner la vallée de l'Indus par la route traditionnelle des caravanes qui, aujourd'hui encore, constitue une des voies d'accès de l'Afghanistan au Pakistan.

La passe de Khayber commande le passage entre l'Afghanistan et le Pakistan; longue de 50 km, située à 1 100 m d'altitude, elle se resserre au milieu.

De son côté, Alexandre prend avec lui le reste de l'armée et se lance à l'assaut des vallées subhimalayennes

Cette campagne, appelée traditionnellement la «campagne alpestre», vise à soumettre les tribus des montagnes (les Aspasiens, Gouraiens, Assacènes) qui vivent dans les vallées affluentes de la rive droite du Kôphèn : l'Alingar, la Kounar, le Swat et le Penjkora. Il faut enlever un à un des nids d'aigle, défendus avec acharnement par des montagnards décidés à résister jusqu'au bout, de véritables «barbares» selon les textes indiens anciens. Les villes sont le plus souvent détruites, les habitants passés au fil de l'épée, et des garnisons installées sur les sites les plus importants.

En dépit des éléphants, la cavalerie d'Alexandre, renforcée de contingents iraniens et même d'un corps de 1 000 archers indiens à cheval, joue encore un rôle de premier plan durant l'expédition.

A la fin de la campagne, la résistance se concentre dans une place formidablement fortifiée, Aornos (Pir-Sar), située dans une boucle du haut Indus. Une fois prise, elle sera confiée au prince indien Sisicottos, qui accompagne Alexandre depuis plusieurs années déjà.

Tout en combattant, Alexandre songe aussi à l'intérêt des siens, à la paix que tous souhaitent retrouver, un jour, en Grèce. Selon Arrien, en effet, «les Macédoniens s'emparèrent de plus de 230 000 bœufs, dont Alexandre fit sélectionner les plus beaux, parce qu'ils lui paraissaient d'une beauté et d'une taille remarquables, et qu'il voulait en envoyer en Macédoine pour le travail de la terre» !

La naissance d'une légende : au pays de l'homme qui voulut être roi...

Alexandre descend ensuite l'Indus jusqu'au point de rendez-vous, où l'attendent Héphestion et Perdiccas. Avant de franchir le fleuve sur le pont établi par ses lieutenants, il met en place l'organisation des territoires conquis. Au Macédonien Nicanôr, il confie «le territoire situé en deçà de l'Indus». Mais le contrôle macédonien, trop superficiel, sera éphémère : les petits princes indiens conservent toute leur influence, et Nicanôr disparaît rapidement, tout comme les garnisaires gréco-macédoniens laissés ici et là. De ces Grecs abandonnés dans les hautes montagnes de l'Inde naîtra la légende des peuples blonds aux yeux bleus auxquels, beaucoup plus tard, Kipling consacrera une magnifique nouvelle, «l'Homme qui voulut être roi».

Conformément aux engagements pris, le successeur de Taxilès, Omphis, accueille Alexandre aux portes de sa capitale Taxila (Bhir), «ville importante et prospère, la plus grande de celles qui se trouvent entre l'Indus et l'Hydaspes». Alexandre y nomme un satrape, Philippos, et installe une garnison. Il laisse cependant à Omphis son royaume, exigeant qu'il fournisse un contingent de 5 000 soldats et qu'il l'accompagne dans la suite de l'expédition.

Les fleuves représentent des obstacles majeurs pour la progression des armées. Il existait fort peu de ponts à piles permanents ; on pouvait passer à gué au moment des basses eaux ou utiliser les ponts de bateaux établis par des pontonniers sur les voies stratégiques.

« A un signal donné, les bateaux sont désamarrés et abandonnés au courant du fleuve (...). Comme il est naturel, le courant les emmène, mais ils sont retenus par une chaloupe à rames, jusqu'à ce qu'ils s'arrêtent à l'emplacement voulu. Là, des corbeilles d'osier, pleines de pierres non équarries, sont mouillées à partir de la proue de chaque bateau, pour le maintenir contre le courant. Lorsque le premier bateau a été ainsi fixé, un second est ancré à son tour face au courant ; aussitôt, sur ces deux bateaux accouplés, sont directement apposées des poutres, soudées les unes aux autres par des planches clouées en travers. Et ainsi, le travail avance... »

Arrien

Cette fois, il s'agit de marcher contre le roi indien Poros, de franchir l'Hydaspes en pleine mousson d'été

L'Indien, au lieu de reconnaître la souveraineté d'Alexandre, a refusé de payer un tribut et de venir accueillir le conquérant aux frontières de son royaume.

La campagne est difficile et meurtrière. Malgré les postes de garde répartis sur la rive gauche par Poros, Alexandre réussit à passer le fleuve avec 6 000 fantassins et 5 000 cavaliers, dont beaucoup proviennent d'Iran oriental. S'y distinguent en particulier les fameux archers à cheval levés chez les Dahes, un des peuples nomades d'Asie centrale.

••Poros, rassemblant autour de lui quarante bêtes, fonça sur l'adversaire de toute la masse de ses éléphants et lui infligea de lourdes pertes. Lui-même d'ailleurs était de loin supérieur à ses compagnons d'armes par sa force physique. Il mesurait en effet cinq coudées de haut [plus de 2,20 m]. (...) Aussi lançait-il ses javelots avec une puissance égale à celle d'une catapulte.••

Diodore

«Des soldats, ceinturés par la trompe des éléphants et élevés en l'air, trouvaient une mort horrible; beaucoup également perdaient la vie, transpercés par les défenses et blessés sur tout le corps»

Lors de la bataille rangée qui se déclenche bientôt, Poros compte sur ses 300 chars et sur ses 200 éléphants de guerre, disposés en avant du front. Les chars, rapidement embourbés dans le sol détrempé du champ de bataille, ne sont d'aucune utilité troupes macédoniennes ; mais, en

••Dans l'infanterie indienne, les pertes se montèrent à 20 000 hommes, ou peu s'en faut; celles de la cavalerie à 3 000 environ et tous les chars furent détruits. Les deux fils de Poros furent tués. Les commandants des éléphants et des chars, ceux de la cavalerie et tous les généraux de l'armée de Poros (également).••

Arrien

revanche, de nombreux soldats périssent, écrasés par les mastodontes, malgré les efforts des javelotiers et des archers d'Alexandre, qui visent en priorité les cornacs.

Au centre des combats, Poros lui-même est monté sur un éléphant d'une taille prodigieuse. Blessé de plusieurs traits, il accepte finalement de se rendre. Les auteurs anciens insistent beaucoup sur la générosité d'Alexandre, qui conserve à Poros son titre de roi et son royaume. Or, une fois de plus, cette générosité est un acte politique, car Alexandre n'a ni les moyens ni l'ambition d'occuper et de quadriller le royaume de Poros.

Alors que le roi de Taxila s'était soumis à Alexandre, Poros veut une victoire des armes, pour maintenir son indépendance et établir son hégémonie en Inde du Nord. Ce décadrachme d'argent présente le combat comme un duel entre les deux rois, l'un sur son cheval, l'autre sur son éléphant.

Fort de ce nouvel allié qui lui amène un renfort de 5 000 Indiens et de dizaines d'éléphants, Alexandre poursuit sa route vers l'est

Conforté par les renseignements optimistes que lui donne Poros, il franchit successivement l'Akésinès (le Chenab) et l'Hydraotès (le Ravi), soumettant villes, peuples et rois, et y disposant des garnisons. C'est en arrivant aux bords de l'Hyphase (le Béas), qu'il découvre brutalement la réalité des régions dans lesquelles il pensait s'engager. Au-delà du fleuve, il lui faudra traverser un désert pendant douze jours, le désert de Thar, avant d'arriver devant un autre fleuve, le Gange, large de 32 stades (5,5 km). Ces obstacles franchis, il devra combattre un roi puissant, le roi de Maghada, de la dynastie des Nandas, capable de mobiliser une armée immense : 2 000 chars et 4 000 éléphants équipés pour la guerre ! Malgré ces informations alarmistes apportées par le roi Phégée, Alexandre décide néanmoins de passer l'Hyphase.

“Alexandre s'avança à cheval en avant du front et alla à la rencontre de Poros avec quelques compagnons. Ayant arrêté son cheval, il admira la taille du roi, sa beauté, cet air de volonté indomptée qu'il laissait paraître : c'était un brave qui en rencontrait un autre. Alors Alexandre l'invita à dire comment il désirait être traité. Et Poros répondit : «Traite-moi en roi !»”

Arrien

Huit ans de campagnes et de fatigues : pour la première fois, les soldats résistent au conquérant

Sentant se développer une sourde opposition dans l'armée, Alexandre la réunit en assemblée.

Avec toute l'éloquence et le charisme dont il est capable, il tente de lui insuffler l'énergie et le désir de nouvelles conquêtes. Peine perdue : «Il n'y eut pas un soldat dont il pût tirer un mot.»

Poussé en avant par ses compagnons, le vieux Coinos exprime à haute voix les sentiments qui les agitent. Il commence par rappeler le nombre des morts aux combats, plus encore, de ceux qui ont succombé à des blessures ou à des maladies. Face à ces milliers d'hommes laissés sur la route, il ne reste qu'un petit nombre de survivants : ces soldats de 334, qui entourent encore Alexandre, ont parcouru plus de 20 000 kilomètres depuis la Troade, «tous sans exception désirent revoir leurs parents, s'ils sont encore en vie, leurs femmes et leurs enfants et, bien sûr, le sol de la patrie». Coinos fait également allusion aux soldats installés dans les colonies, qui y restent contre leur gré. Le roi n'a-t-il pas d'ailleurs fait mettre à mort en Inde l'un de ses compagnons, Ménandre, qu'il avait «préposé au gouvernement d'une forteresse et qui ne voulait pas y rester»? Et Coinos termine son discours au milieu des applaudissements fanatiques de l'armée.

Le lendemain, Alexandre cède : «Alors ce furent des acclamations comme peut en pousser une multitude hétéroclite en liesse, et la plupart d'entre eux

Pour exalter les victoires d'Alexandre en Inde, ses successeurs le firent représenter fréquemment coiffé des dépouilles d'un éléphant.

«Le jeune roi conquérant domine tout ce peuple captif, vaincu et rampant à ses pieds... La petite vallée indienne où se dresse le trône immense et superbe contient l'Inde tout entière, les temples au faîtes fantastiques, les idoles terribles, les lacs sacrés, les souterrains pleins de mystères et de terreur. (...) Et la Grèce, l'âme de la Grèce rayonnante et superbe, triomphe au loin dans ces régions inexplorées du rêve et du mystère.»

Gustave Moreau

pleuraient ; d'autres, s'approchant de la tente royale, appelaient de nombreuses bénédictions sur Alexandre pour avoir accepté d'être vaincu par eux seulement.»

Sur les bords de l'Hyphase, douze autels gigantesques marquent désormais les limites de la conquête

L'armée revient donc sur ses pas et Alexandre plante son camp sur les bords de l'Hydaspes, près de deux villes qu'il avait fondées sur chacune des rives : l'une dédiée à la Victoire, Nicée, l'autre au souvenir de son cheval Bucéphale, mort de

La victoire remportée sur Poros est la plus importante de toute la campagne d'Asie, à un moment où la rumeur de la mort du roi se répand sur ses arrières. D'où le nombre de tableaux qui sont consacrés au triomphe d'Alexandre, tel celui de Gustave Moreau (ci-dessus et à gauche).

vieillesse à l'âge de trente ans. Seul Poros tire bénéfice de l'expédition : il est désigné «roi de toute l'Inde déjà conquise», à charge pour lui de verser un tribut au satrape macédonien Philippos, le représentant royal dans tout le territoire situé entre le Gandhara et l'Hyphase.

C'est par voie fluviale qu'Alexandre décide de gagner la «Grande Mer», c'est-à-dire le delta de l'Indus et l'océan Indien

Parmi tous ses soldats, il sélectionne ceux dont on peut supposer, par leurs origines, qu'ils connaissent la construction et le maniement des bateaux : Phéniciens, Chypriotes, Egyptiens, Indiens et Hellespontins. Une flotte considérable d'environ 1 000 embarcations, dont 80 navires à 30 rameurs, est bientôt prête, pour transporter chevaux et soldats. Pendant ce temps, l'armée a été renforcée par des contingents venus de l'ouest et équipée de neuf grâce à l'envoi en Inde de 25 000 panoplies pour fantassins.

Une partie des troupes embarque avec Alexandre; les autres détachements, commandés par Cratère, Héphestion et le satrape Philippos rejoignent par voie de terre le confluent de l'Hydaspes et de l'Akésinès. Après les sacrifices d'usage aux divinités des mers et des fleuves, le départ a lieu, en novembre 326.

La descente de l'Indus est dangereuse, difficile : rapides et remous mettent à mal hommes et embarcations. Et loin d'une croisière, c'est bien d'une expédition militaire qu'il s'agit, car Alexandre veut soumettre toutes les populations rencontrées sur l'itinéraire. «Quand il trouvait un endroit de la rive où faire relâche, il recevait la soumission des Indiens riverains, qui se donnaient à lui par traité.»

Si impressionnés qu'ils soient par cet immense convoi, tous les peuples ne veulent pas pour autant se rendre sans combattre

Les Malliens, dispersés le long du cours moyen de l'Hydraotès, et les Oxydraques, dont le territoire

❝Les chasseurs emmènent dans les villages les [éléphants capturés] et leur donnent d'abord des roseaux et de l'herbe à manger; mais ils restent abattus et ne veulent aucune nourriture; alors les Indiens les entourent, battent des tambours et des cymbales, chantent, et arrivent ainsi à les apprivoiser.

L'éléphant est en effet intelligent (...) On en cite qui ramassèrent le corps de leur cornac tué dans une bataille et l'emportèrent pour qu'on l'ensevelît; d'autres qui lui firent un rempart de leur corps, quand il gisait à terre; d'autres qui se sont battus pour le protéger, quand il était tombé; l'un même, qui, dans un moment de colère, avait tué son cornac, mourut de désespoir.❞

Arrien

s'étend entre les cours inférieurs de l'Akésinès et de l'Hesidrus, obligent Alexandre à mener des campagnes d'une extrême férocité. Il fait encercler le territoire des Malliens par plusieurs corps d'armée, les hommes surpris par ses troupes hors des remparts de leur cité sont tous massacrés ; 2 000 Malliens, qui résistent un temps dans la citadelle, connaissent le même sort. D'autres sont aussi impitoyablement massacrés, alors qu'ils tentent de traverser l'Hydraotès. Un des lieutenants d'Alexandre, Peithon, réduit en esclavage tous les Malliens réfugiés dans une troisième ville. Un groupe, retranché lui aussi dans une citadelle, est anéanti; certains préfèrent se suicider.

Des colonnes mobiles parcourent la campagne pour faire la chasse aux fugitifs. Après la prise d'une dernière ville - Alexandre est grièvement blessé au cours de son siège - les troupes «se mirent à tuer les Indiens, et elles les abattaient tous sans épargner femme ni enfant». Les Malliens rescapés envoient des ambassadeurs signifier leur reddition. Epouvantés, les Oxydraques font de même.

Lorsqu'Alexandre parvint dans la vallée de l'Indus, une grande partie des petits princes locaux *(rajas)* lui offrirent spontanément leur soumission, en l'accueillant personnellement aux frontières de leur royaume, ou en lui envoyant des ambassadeurs pour manifester leur volonté de ne pas résister militairement : le roi les reçut en audience lors de son séjour à Taxila. Sur ce tableau, à côté du roi, figure Calanos, le plus célèbre des sages indiens, que l'on appelait sophistes, gymnosophistes ou brahmanes.

Reste à conquérir le Sind, c'est-à-dire la basse vallée de l'Indus

La région est d'ores et déjà érigée en satrapie assignée à Philippos et au beau-père d'Alexandre, Oxyarthès. Avant de s'embarquer à nouveau, Alexandre fonde une Alexandrie au confluent de l'Indus et de l'Akésinès. Une autre Alexandrie est élevée peu après sur le territoire des Sogdes, rassemblant 1 000 colons; une garnison s'installe dans la capitale du roi Musikanos, qui, conseillé par les brahmanes, tente de se soulever : immédiatement, Alexandre réagit en envoyant une expédition punitive contre son royaume et en y installant de nouvelles garnisons; Musikanos est mis à mort. Tout au long du fleuve, sur la rive gauche, se construisent d'autres agglomérations. En janvier 325, enfin, Alexandre s'installe à Pattala, capitale du district du delta de l'Indus, qu'il fait fortifier. C'est là qu'il prépare son voyage de retour vers la Perse et la Babylonie. Une première colonne est confiée à Cratère, chargé de conduire en Carmanie une partie de l'armée et les éléphants, en faisant route par l'Arachosie et la Drangiane. Il franchit donc la passe de Bolan, et rejoint la ville-forte de Kandahar, capitale de l'Arachosie. Alexandre lui-même, à la tête d'autres contingents, doit le retrouver au point de rendez-vous. Le reste des troupes va revenir par voie de mer en remontant la côte à partir de Pattala et en empruntant le golfe Persique. Dans des chantiers navals, on s'emploie à remettre en état les anciens bateaux, à en construire de nouveaux.

Néarque, déjà amiral lors de la descente de l'Indus, va commander la flotte de retour

D'une famille originaire de Crète, Néarque est «naturalisé» macédonien. Compagnon de longue date d'Alexandre, il a été nommé satrape de Lycie en 334. Dans ses mémoires - utilisés par Arrien

Pour parcourir la vallée de l'Indus du nord au sud, Alexandre utilise systématiquement la voie fluviale. Une première flotte est construite en 326. Quelque temps plus tard, les mêmes bateaux vont être

utilisés pour franchir l'Hydaspe. A cette fin, rapporte Arrien, «ils furent démontés et acheminés, les plus petits en deux parties, mais les navires à trente rameurs en trois, et les éléments transportés par chariot jusqu'à la rive de l'Hydaspe. Là, les bateaux furent remontés et l'on put alors contempler la flottille au grand complet.»

dans *l'Inde* -, Néarque rapporte, sur un ton de feinte modestie, qu'Alexandre l'a choisi tout simplement parce qu'il sait inspirer confiance aux marins et aux soldats embarqués. Il aura en effet à plusieurs reprises l'occasion de rassurer ses soldats, pris de frayeur en découvrant le phénomène de la marée. Quelques mois plus tard, en plein golfe Persique, c'est à nouveau la panique lorsque l'escadre croise des baleines, bien différentes des aimables dauphins de la Méditerranée.

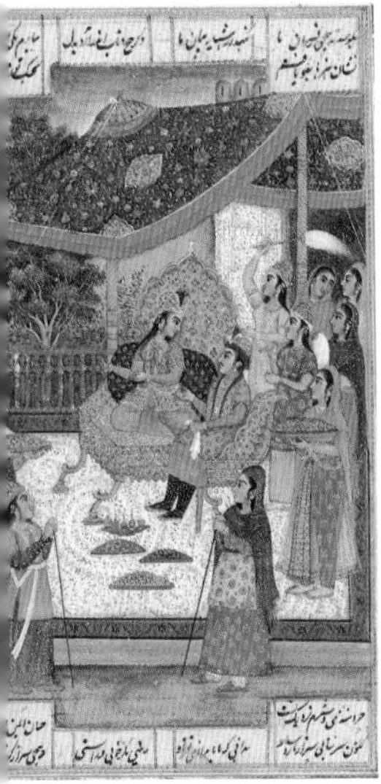

Un aussi long périple pose d'énormes problèmes logistiques : il faut se ravitailler, reconstituer les réserves d'eau. Pour ceux qui empruntent la route côtière, la marche est aussi infernale

C'est la raison pour laquelle Alexandre choisit de suivre sur la côte la progression de Néarque. Parti à la fin d'août 325, il fait creuser des puits sur la côte proche du delta «afin de fournir de l'eau en abondance à l'armée qui allait la longer par mer ». Son souci constant : emprunter un itinéraire côtier pour «voir quels ports il y avait, et au passage les préparatifs qu'on pouvait faire pour la flotte, soit en creusant des puits, soit en prévoyant un marché à tel endroit, ou un mouillage». Tâche difficile, car Alexandre doit en outre nourrir sa propre armée - 10 000 à 12 000 hommes - suivie de centaines de femmes et d'enfants. La Gédrosie est un pays peu hospitalier, les troupes souffrent de faim et de soif, à tel point qu'il arrive que des soldats pillent les vivres destinés aux marins de Néarque ! Alexandre perd des milliers d'hommes. L'arrivée dans la riche Carmanie - où Cratère est au rendez-vous - permet aux rescapés de se refaire une santé

Ultérieurement, Alexandre décida «de descendre l'Hydaspe jusqu'à la grande mer», reprenant en cela l'itinéraire de Darius Ier qui, en 516-515, avait envoyé une expédition fluviale rejoindre les bouches de l'Indus, avant de la lancer dans une périlleuse circumnavigation de l'Arabie jusqu'en Egypte.

Entre autres cadeaux, les rois indiens offrent à Alexandre une fille d'une merveilleuse beauté, un philosophe capable de répondre à toutes les questions, un médecin capable de guérir de tout sauf d'une atteinte mortelle, un vase qui ne s'épuise jamais et désaltère promptement.

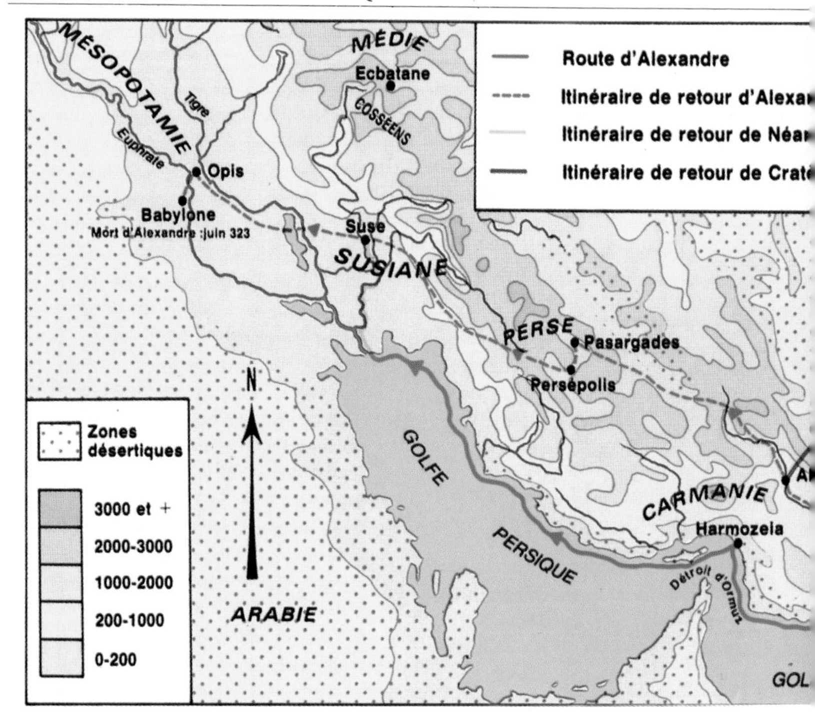

<u>«Néarque a pour mission de reconnaître la côte, les mouillages, les moindres îles, de visiter toutes les villes côtières, de voir quel pays est fertile, quel pays est désert »</u>

Pour profiter de la mousson, il a attendu le mois d'octobre. Loin de naviguer en haute mer, la flotte longe la côte, abordant chaque jour dans des ports plus ou moins aménagés. Les marins sont trop heureux lorsqu'ils y trouvent un filet d'eau, du poisson ou parfois les dépôts de

La traversée de l'Inde se fait du nord au sud, des montagnes de l'Hindu-Kuch et du Cachemire jusqu'à l'océan Indien, en empruntant l'Indus et ses affluents dans le Pendjab.

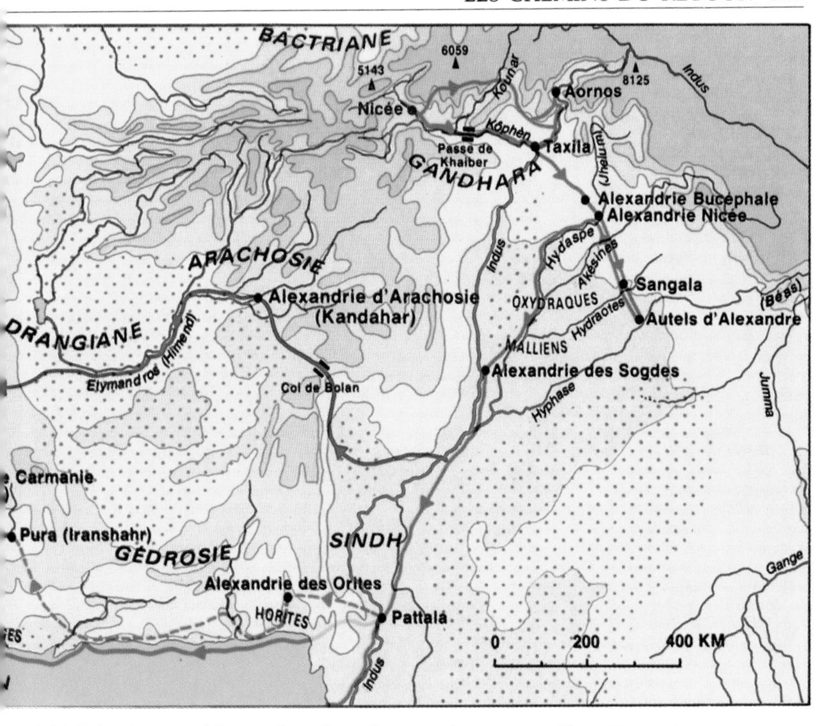

blé laissés par Alexandre. La plupart du temps, ils doivent manger en grimaçant la chair de moutons nourris de poissons, spécialité du pays désolé des Ichtyophages (les mangeurs de poissons). La razzia menée contre eux aboutit à un pauvre butin : essentiellement de la farine de poisson ! Mal nourris, épuisés, les marins de Néarque doivent aussi se battre contre les indigènes : sur la côte des Orites - qui avaient opposé une vive résistance à Alexandre - il leur faut entourer le camp d'un retranchement.

L'abondance revient à partir d'Harmozeia (l'actuelle Ormuz) en Carmanie, où la flotte retrouve l'armée d'Alexandre, avant de reprendre la mer pour aller jusqu'à l'Euphrate. Dès lors, la navigation - laissée aux soins d'un pilote - devient facile, la côte perse du golfe est bien peuplée et habitée, parsemée de ports aménagés.

Pour le retour vers la Perse, l'armée emprunte trois parcours : Cratère revient vers l'intérieur par la passe de Bolan, Quetta, Kandahar, et redescend vers la Carmanie. Alexandre part de Pattala, suit la côte, puis, ayant retrouvé Cratère, continue vers la Perse. Quant à Néarque, sa flotte longe la côte, jusqu'à Diridôtis, à l'embouchure de l'Euphrate, et rejoint Suse, toujours en naviguant.

Au bout de six années d'absence et de conquêtes, Alexandre trouve son empire sérieusement désorganisé. Les différents satrapes et les administrateurs qu'il avait mis en place ont, soit négligé leur mission, soit au contraire pris un pouvoir démesuré. Avec le temps, la rumeur de la mort du roi avait fini par s'accréditer. Le premier objectif d'Alexandre est donc de reprendre en main les cités et les pays conquis.

CHAPITRE VI

DERNIÈRES ANNÉES, DERNIERS PROJETS

En 325, il ne reste plus à Alexandre que deux années à vivre; il les passera entre les grandes capitales de l'ancien Empire perse, désormais le sien. Un dernier long voyage l'attend pourtant : celui qui mènera son char funèbre de Babylone à Alexandrie, où est dressé son tombeau, le plus grand des mystères archéologiques d'aujourd'hui. L'empereur Auguste est-il venu s'y recueillir ? Ce tableau du XVIIe le laisse imaginer...

Le Macédonien Harpale, chargé de l'administration du Trésor et des Finances, craignant la colère royale, préfère prendre les devants et quitter la Babylonie. Avec 6 000 mercenaires, il se rend en Cilicie, puis en Grèce, emportant avec lui 5 000 talents, dont une partie sera utilisée par Athènes deux ans plus tard pour se révolter contre la domination macédonienne.

En réponse aux mouvements de révolte antimacédonienne qui s'étaient produits, Alexandre fait exécuter le Mède Baryaxès : celui-ci s'était proclamé roi des Perses et des Mèdes. Cratère, de son côté, lors de son voyage de retour, s'empare d'un nommé Ordanès, coupable de rébellion.

Parmi les satrapes et les commandants de troupes d'occupation, les généraux de Médie, Cléandre, Sitalkès et Héraklon, sont accusés des pires méfaits par les habitants de la Médie et par leurs troupes : pillage de temples, viol de sépultures anciennes, violence contre des femmes de la noblesse mède. Héraklon est accusé d'avoir pillé un des temples de Suse. Tous vont être exécutés. Il s'agit pour Alexandre de faire un exemple, d'impressionner une fois pour toutes les autres satrapes, ainsi que les aristocraties locales, dont l'appui lui est toujours indispensable.

Il ne semble pas, d'ailleurs, que les élites des pays soumis aient tenté massivement de se soulever. Elles attendaient surtout du roi qu'il réaffirme une politique fondée sur l'entente et la collaboration.

Soucieux de ne pas laisser se développer les tendances individualistes de certains de ses satrapes, Alexandre prend des mesures radicales à l'encontre des rebelles. Quinte-Curce souligne le caractère implacable de la répression royale, dont témoignent ces enluminures extraites d'un manuscrit médiéval reproduisant le texte de l'historien latin.

«Mis au courant de l'affaire (des généraux de Médie), le roi fit savoir que l'accusation avait oublié un grief : avoir désespéré de son salut; en effet, ils n'auraient pas osé de tels crimes, s'ils avaient souhaité ou cru qu'il reviendrait de l'Inde sain et sauf. Il fit donc incarcérer les accusés et exécuter six cents des soldats qui avaient servi d'instruments à leur cruauté. Le même jour, on supplicia également les responsables du soulèvement de la Perse.»

Quinte-Curce

A nouveau, Alexandre fait halte à Pasargades et à Persépolis

C'est à cette occasion qu'Arrien rapporte que le roi nourrit encore beaucoup de regrets de l'incendie des palais royaux en 330. En 325, il prend toute une série de mesures hautement symboliques à destination de l'aristocratie et du peuple perses. A Pasargades, trouvant le tombeau et le sarcophage de Cyrus pillés par des profanateurs, il ordonne qu'on les restaure dans leur état ancien. Mis sous la torture, les mages

chargés de la garde de la sépulture ne font aucun aveu et sont finalement relâchés. Alexandre veut plus que jamais apparaître comme le successeur des Grands Rois. Il reprend même la coutume qui consiste à donner une pièce d'or aux femmes perses enceintes.

Depuis la mort du satrape perse nommé en 331, le pays est dirigé par le Perse Orxinès, qui a pris la succession sans mandat du roi. Immensément riche, Orxinès se flatte d'appartenir à la lignée de Cyrus. Accusé par les Perses eux-mêmes d'avoir «pillé les temples et les tombes royales, fait exécuter de nombreux Perses arbitrairement», il est mis à mort. En janvier 334, Néarque et Alexandre se retrouvent à Suse : c'est là que le roi se prend à élaborer de grands projets dans le golfe Persique.

En dépit des destructions opérées cinq ans plus tôt, Persépolis reste, aux yeux d'Alexandre, qui se veut le nouveau Roi des Rois, une ville d'une grande importance. A défaut d'être la capitale du nouvel empire, Persépolis continua d'être le centre de l'importante satrapie de Perse.

En février 324, une immense fête nuptiale est donnée à Suse

Le roi, se conformant aux mœurs perses de polygamie, épouse deux princesses achéménides, tandis que plusieurs dizaines de ses compagnons s'unissent à des femmes de la plus haute aristocratie perse et mède.

Selon la coutume perse, les mariages sont tous célébrés en même temps :

«Il se dirigea alors vers le palais royal perse, auquel il avait avant mis le feu, ce dont je ne l'avais pas félicité. Mais, en revenant sur les lieux, Alexandre non plus n'était pas fier de ce qu'il avait fait.»
Arrien

un banquet monstre réunit les nouveaux époux dans une immense tente luxueusement décorée. Le symbole est clair : Alexandre considère que le maintien de sa domination passe par une alliance étroite entre aristocratie macédonienne et aristocratie perse et mède.

"Alexandre trouva [à Parsagades] le tombeau de Cyrus vidé de tout, sauf du sarcophage et du lit. Les profanateurs n'avaient pas épargné le corps même de Cyrus : ils avaient enlevé le couvercle du sarcophage et jeté le cadavre dehors. Quant au sarcophage, ils avaient essayé de le rendre plus facile à porter en arrachant certaines parties et en en cassant d'autres; mais, ayant échoué dans leur entreprise, ils étaient partis en laissant le sarcophage comme il était."

Arrien

En prolongeant ainsi sa politique de collaboration avec la noblesse iranienne, Alexandre mécontente une bonne part de ses compagnons et de ses soldats

Il a mis en place, pour gouverner la Perse à la place d'Orxinès, l'un de ses plus proches compagnons, Peukestas, qui lui avait sauvé la vie chez les Malliens. Suivant en cela les prescriptions d'Alexandre, «pour garder la population soumise en toutes choses», le nouveau satrape adopte la langue et le vêtement perses, attitude qui lui vaut «une grande considération

auprès des indigènes». Peukestas persévère si bien dans cette voie que, lorsqu'en 316 il sera destitué par un successeur d'Alexandre, la noblesse perse réagira violemment, affirmant par la voix de son porte-parole qu'elle ne veut obéir à personne d'autre !

De nombreux Macédoniens sont choqués par les initiatives persophiles de Peukestas, tout comme ils l'ont été par les mariages forcés de Suse. Ils supportent mal que les corps de cavalerie iraniens aient obtenu le titre de Compagnons, et qu'Alexandre s'entoure d'une garde macédonienne et d'une garde perse. Il se trouve, en outre, que viennent d'arriver à Suse 30 000 jeunes Iraniens (*epigonoi*), qu'Alexandre a fait lever en Bactriane et élever à la macédonienne; qui plus est, ces jeunes recrues, après avoir démontré au cours d'une revue leurs grandes qualités manœuvrières, ont eu droit à des récompenses du roi.

Pour les fidèles d'Alexandre, c'en est trop : dépit et crainte assombrissent désormais le moral des Macédoniens devant le risque de voir, à terme, leur spécificité de peuple conquérant disparaître dans une complète assimilation avec les Perses et les Iraniens. En fait, cette crise semble avoir pris une ampleur déraisonnable, sans rapport avec la réalité : il ne reste plus en place, à cette date, que trois satrapes iraniens, mais le malentendu demeure.

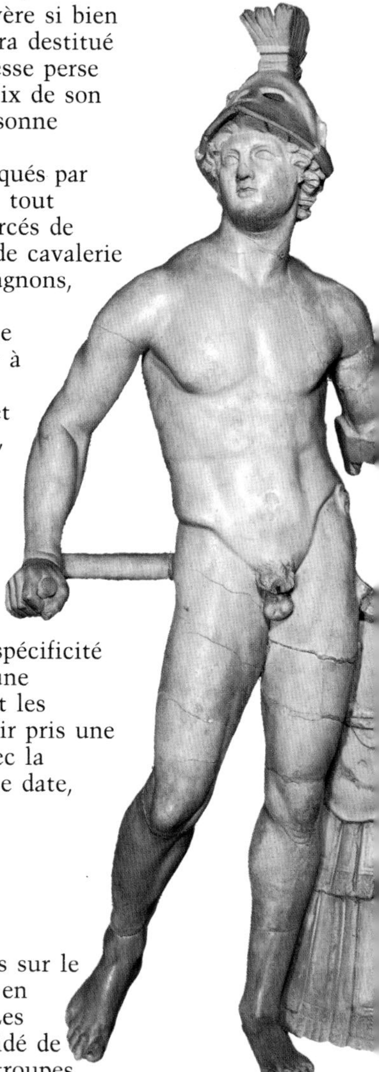

La crise éclate quelques semaines plus tard

Alors que l'armée est rassemblée à Opis sur le Tigre, Alexandre annonce qu'il renvoie en Macédoine les vétérans et les blessés. Les soldats en concluent que leur roi a décidé de se passer d'eux et de s'appuyer sur les troupes levées en Orient. Alexandre tente de les rassurer, son discours reste sans effet. Comme toujours en pareil cas, il décide de se retirer sous sa tente et multiplie les gestes de faveur à l'égard des Perses.

Le résultat ne se fait pas attendre : c'est à genoux que les Macédoniens viennent supplier le roi de leur rendre son affection. Un sacrifice et un banquet scellent la réconciliation : «Alexandre pria pour obtenir, entre autres biens, la concorde et la bonne entente dans l'exercice du pouvoir entre Perses et Macédoniens.» Et au cours de la cérémonie, ce sont bien les Macédoniens qui occupent la première place auprès du roi ; la collaboration politique n'implique pas un gommage des spécificités.

Réconcilié avec son armée, Alexandre peut songer aux préparatifs de l'expédition d'Arabie

Il s'agit pour lui maintenant d'effectuer la circumnavigation de l'Arabie, puis, à partir de l'Egypte, d'attaquer Carthage et Rome, et enfin de rentrer en Grèce par l'ouest : tels sont apparemment les plans révélés par un document trouvé après la mort du roi. Ce qui paraît avéré, en tout cas, c'est sa volonté de conquérir l'Arabie, c'est-à-dire la côte arabe du golfe Persique. Dès son retour en Babylonie, au début de 324, il a en effet donné ordre de construire des bateaux en Phénicie, de les transporter en pièces détachées jusqu'à Thapsaque sur l'Euphrate et de les amener dans un port construit tout exprès à Babylone. Des milliers de marins et de rameurs ont été recrutés en Phénicie et dans les régions littorales de l'Egée. Le but d'Alexandre, selon Arrien, est de «coloniser la région côtière du golfe Persique, ainsi que les îles qui la bordent. Cette région, pensait-il, pourrait devenir aussi prospère que la Phénicie. Mais ses préparatifs dans le domaine naval étaient dirigés contre les Arabes en majorité». Les objectifs d'Alexandre sont économiques : en contrôlant les deux rives du golfe Persique il s'assure la haute main sur tout le trafic qui relie la basse Babylonie à l'Arabie et à l'Inde.

Avant d'entreprendre une telle expédition, il faut prendre des renseignements sur la configuration du pays. Une première escadre de reconnaissance est confiée à Archias, qui n'ose

«Peut-être ai-je acquis tout cela en me contentant de donner des ordres? Or qui d'entre vous a conscience d'avoir plus peiné pour moi que moi pour lui? Allons donc! Que celui qui a des cicatrices les fasse voir, et moi je ferai voir les miennes à mon tour ! J'ai été blessé pour votre gloire, pour votre richesse! (...) Et actuellement, je m'apprêtais à renvoyer ceux qui ne sont plus bons pour le service, en en faisant un objet d'envie pour les gens restés au pays; mais puisque vous voulez tous vous en aller, allez-vous en !» Ayant ainsi parlé, il regagna son palais et ne fut visible pour aucun de ses compagnons. Le troisième jour, il convoqua dans le palais l'élite des Perses, répartit entre eux les commandements des unités. (...) Quand on eut rapporté [aux Macédoniens] ce qui se passait avec les Perses (...), ils se précipitèrent tous au palais, [criant] qu'ils ne s'en iraient pas de devant ces portes, à moins qu'Alexandre ne se laisse apitoyer par eux. [Voyant cela] Alexandre sortit et (...) lui aussi se mit à verser des larmes.»

Arrien

pas dépasser l'île de Tylos. Une deuxième expédition, dirigée par Androsthénès, contourne en partie la péninsule. Hiéron de Soles, à la tête de la troisième expédition, a pour mission de faire la circumnavigation de l'Arabie jusqu'à l'Egypte, en reprenant l'itinéraire effectué en 512 par les vaisseaux de Darius qui avaient navigué depuis le Nil jusqu'à Suse, en empruntant le canal du Nil à la mer Rouge et en remontant le golfe Persique. Hiéron recule devant l'ampleur de la tâche mais parvient néanmoins jusqu'au promontoire que les marins de Néarque avaient aperçu lors de leur voyage de retour, c'est-à-dire la péninsule d'Oman à l'entrée du golfe. L'ordre d'appareillage général de la flotte est prévu pour juin 323.

Pour Héphestion, le roi fait élever un gigantesque bûcher magnifiquement orné.

Se déplaçant de capitale en capitale, de Suse à Babylone, de Babylone à Ecbatane, Alexandre redouble d'activité

Il lui faut intervenir dans tous les domaines : donner des instructions aux administrateurs fiscaux, aménager les cours de l'Euphrate et du Tigre pour faciliter les évolutions de la flotte, recevoir des ambassades qui se pressent de partout, rendre la justice, veiller à l'envoi des lettres officielles, sans oublier les fêtes et les banquets qui se succèdent à un rythme infernal... A l'automne 324, il se rend à Ecbatane, où meurt Héphestion, son ami le plus cher, celui auquel il a décerné le titre achéménide de chiliarque. Le roi est bouleversé, mais il lui faut sans cesse repartir, songer à la guerre; il lance un raid contre les Cosséens du Louristan, restés insoumis. Au début du printemps 323, il est de retour à Babylone. Plusieurs ambassades grecques l'y attendent. Beaucoup considèrent que l'heure de la revanche a sonné, Alexandre ne l'ignore pas. Les cités - Athènes en premier lieu - ne se gênent pas pour enrôler les mercenaires rendus libres par l'ordre de licenciement donné aux satrapes. L'édit qu'il a fait proclamer à Olympie l'année précédente a créé des remous en Grèce : «Le roi Alexandre aux Grecs bannis : nous n'avons pas été responsable de votre exil, mais nous le serons de votre retour

dans vos patries respectives.» Si l'ordre royal a soulevé l'enthousiasme des exilés, il a causé des troubles dans les cités, notamment à Athènes. Poussés par Démosthène, les Athéniens attendent l'occasion favorable pour organiser une révolte contre la Macédoine.

Le 3 juin 323, en sortant d'un banquet, Alexandre est pris d'une forte fièvre

Ayant fixé le départ de l'expédition arabe aux 22 et 23 juin, il se couche et prend du repos. Tantôt la fièvre tombe, tantôt elle remonte. Néarque, chargé de la flotte, vient lui faire le rapport des derniers préparatifs. Le roi continue de prendre des décisions. Son état s'aggrave bientôt. Il ne peut plus parler. Pendant quatre jours, il agonise

"Alexandre trépassait de ce monde à Babylone quand ses amis lui demandèrent à qui il laissait le royaume. «Au meilleur, dit-il, je prévois que mes amis se livreront à un grand combat funèbre en mon honneur.» Et c'est précisément ce qui se passa, car les plus éminents de ses amis se brouillèrent en se disputant la première place et engagèrent beaucoup de combats après sa mort."

Diodore

Le sarcophage de Sidon

La fouille de la nécropole royale de Sidon au siècle dernier a permis de mettre au jour plusieurs sarcophages de princes locaux. L'un d'eux – traditionnellement dénommé sarcophage d'Alexandre – est illustré de plusieurs scènes de bataille et de chasse, à l'éclat rehaussé d'une polychromie à peine entamée par le temps. Sur l'un des panneaux sculptés, on voit un cavalier macédonien, coiffé de la dépouille d'un lion : il s'agit d'Alexandre, monté sur son cheval qui se cabre face à un Perse dont la monture s'écroule. La scène rappelle sans doute un épisode plus ou moins romancé et reconstitué de la valeureuse conduite du roi sur les champs de bataille. A l'issue de la bataille d'Issos, Sidon se rendit volontairement à Alexandre, qui confia la royauté à Abdalonyme. C'est sans doute ce dernier qui commanda le sarcophage à un artiste grec et qui lui imposa de l'illustrer de scènes exaltant les exploits du Conquérant.

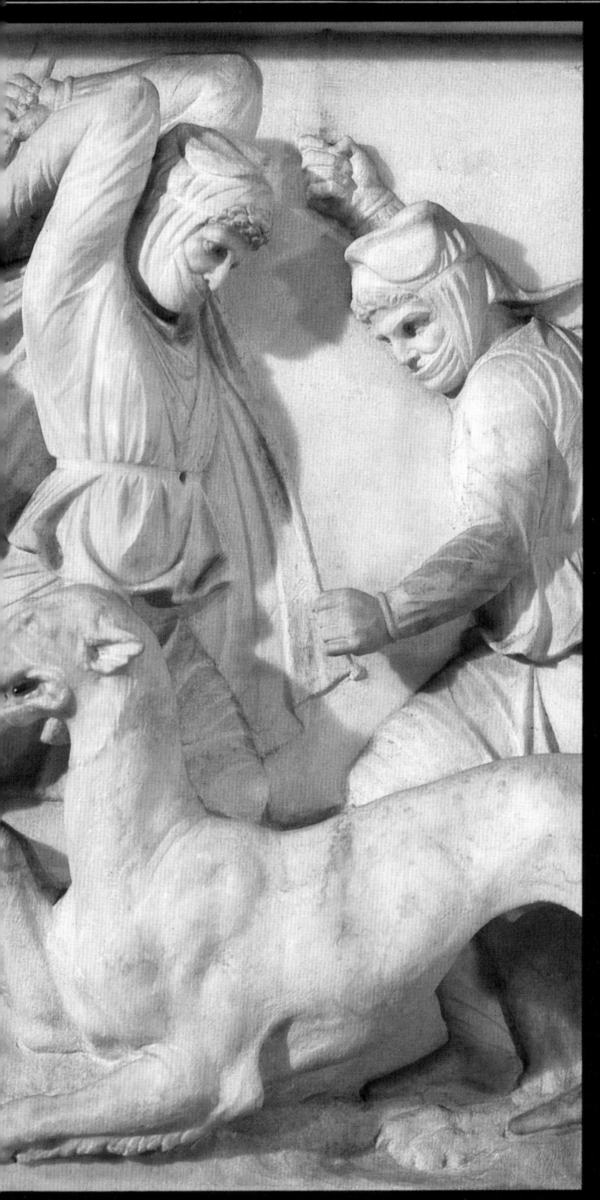

Guerre et chasse

A côté de scènes de guerre, l'artiste a consacré plusieurs panneaux du sarcophage à des scènes de chasse – activité aussi symbolique du pouvoir royal chez les Macédoniens que chez les Perses. C'était également une excellente occasion de se distinguer sous les yeux de leur roi. Ces chasses prenaient place dans des réserves de bêtes de toute sorte : lions, panthères, cerfs, etc. Il s'agissait de battues énormes : Quinte-Curce rapporte par exemple qu'à l'issue d'une chasse organisée dans un paradis de Bactriane, plus de 4 000 fauves furent tués par Alexandre et sa suite. La scène représentée sur le sarcophage illustre sans doute une chasse royale organisée dans le paradis (réserve) perse de Sidon, au cours de laquelle Lysimaque, un compagnon du roi, avait été grièvement blessé par un lion. On doit souligner également que, par opposition aux scènes de bataille, Perses et Macédoniens affrontent les fauves côte à côte. L'artiste a représenté symboliquement la politique de collaboration macédono-iranienne voulue par Alexandre.

dans son palais. Il meurt le soir du 13 juin, au milieu des cris de désespoir de ses soldats. Des rumeurs laissent supposer un empoisonnement. On accuse Antipater. La cause de sa mort est probablement plus naturelle : la malaria.

Immédiatement, commencent les discussions à propos de l'héritage. Alexandre ne laisse pas d'héritier direct, en dehors d'un demi-frère atteint d'épilepsie. Ce sont donc ses principaux Compagnons qui vont se disputer la succession. Perdiccas fait valoir que le roi mourant lui a remis l'anneau portant le sceau royal.

Mais l'heure est aux funérailles : un deuil général est proclamé dans tout l'empire, selon la coutume perse. On commence à construire un char funèbre pour transporter la dépouille royale jusqu'à la vieille capitale macédonienne d'Aigai. Mais les Macédoniens ne pourront jamais rendre un dernier hommage à leur roi : à la suite d'un coup de main de Ptolémée, le Conquérant sera finalement inhumé à Alexandrie.

Alexandre, le dernier des Achéménides

En une dizaine d'années, Alexandre a non seulement vaincu le Grand Roi et ses armées, mais surtout reconstitué à son profit l'Empire dans les limites que lui avaient données ses créateurs achéménides. Pourtant, l'ampleur de cette œuvre ne peut masquer sa fragilité.

Avec la mort du Conquérant, s'ouvre une période de désintégration accélérée des structures unitaires. La succession royale est en effet confiée fictivement à Philippe Arrhidée, le demi-frère faible d'esprit d'Alexandre, et au fils posthume d'Alexandre et de Roxane. Bientôt les principaux généraux d'Alexandre se disputent territoires et populations. Dès 306, le vieil Antigone le Borgne sera le premier à prendre le titre de roi en 306, bientôt suivi par tous ses concurrents. Le mythe de l'unité de l'empire d'Alexandre a vécu.

Au Moyen-Orient, les nouveaux rois vont abandonner la politique iranienne d'Alexandre; dès le milieu du IIIe siècle, la plus grande partie du plateau iranien échappe à la domination des

Après la mort d'Alexandre, les territoires du Moyen-Orient sont regroupés sous la domination de deux grandes dynasties: l'une fondée par Ptolémée en Egypte (en haut), l'autre fondée par Séleucos (en bas), de l'Asie Mineure à l'Indus; les nouveaux rois font frapper monnaie à leur effigie.

Séleucides. Même si la dynastie est issue d'un mariage mixte irano-macédonien, le royaume séleucide, comme ses concurrents, est un royaume grec : élites politiques et langue officielle ont été imposées par les conquérants venus d'Europe.

La civilisation grecque s'est étendue jusqu'en Bactriane et en Inde, mais cette expansion culturelle reste relativement surperficielle, sans influence profonde sur les populations et leurs croyances. En Iran occidental, et plus précisément en Perse, se prépare déjà la renaissance d'un empire iranien, qui, avec les Sassanides, formera le nouvel empire du Grand Roi.

“Pour commencer, on façonna une plaque d'or battu épousant la forme du corps. Au-dessus, on posa un couvercle d'or.(...) On présenta ensuite le fourgon destiné à transporter la dépouille : au sommet une voûte dorée et revêtue d'écailles serties de pierres précieuses. Le péristyle était doré avec des chapiteaux d'ordre ionique (...). Le nombre des mulets s'élevait à soixante-quatre au total.” Diodore

TÉMOIGNAGES ET DOCUMENTS

Alexandre le Grand au regard de l'Histoire :
un héros pour les Grecs et les Romains,
un prophète pour les Arabes,
un mythe pour les Occidentaux.

Les historiens d'Alexandre

La plus grande partie des documents – conservés par l'archiviste Eumène – ont disparu. Beaucoup de lettres et de discours prêtés à Alexandre sont des faux ou des reconstitutions fantaisistes et/ou intéressées. Les seuls documents archivistiques véritables ont été retrouvés inscrits sur la pierre dans les cités grecques d'Europe et d'Asie. C'est le cas par exemple de l'inscription qui rappelle les conditions imposées aux peuples et aux cités qui adhérèrent à la Ligue de Corinthe en 338.

Je jure par, Zeus, Gé (Terre), Hélios, Poséidon, Athéna, Arès, tous les dieux et déesses, je resterai dans la paix et ne briserai pas les traités conclus avec Philippe de Macédoine, je ne porterai pas les armes pour nuire, ni contre ceux qui observent les serments, sur terre comme sur mer. Je ne prendrai en guerre aucune ville, garnison ou port de ceux qui participent à la paix, par ruse ou invention. Je ne renverserai ni la royauté de Philippe et de ses descendants, ni les constitutions en usage chez les participants quand ils prêtèrent les serments de la paix. Je ne ferai rien de contraire aux traités, ni ne permettrai à un autre de le faire, selon mes forces. Si quelqu'un fait quelque chose de contraire aux serments et aux traités, j'apporterai toute l'aide que demanderont les victimes, je combattrai le contrevenant à la paix commune, selon les décisions du commun conseil et les ordres de l'hégémon.

Texte du traité de Corinthe

Une autre inscription – provenant de Chios, en Asie Mineure – retranscrit une lettre envoyée en 332 à la cité pour fixer les conditions de retour de l'île dans l'orbite macédonienne après le succès éphémère de la contre-attaque perse.

Sous la prytanie de Deisithéos, lettre du roi Alexandre au peuple de Chios. Tous les bannis de Chios rentreront et Chios aura une démocratie. Des nomographes seront élus, qui rédigeront et amenderont les lois, pour que rien ne s'oppose à la démocratie ni au retour des bannis ; les amendements seront soumis à Alexandre. Les gens de Chios fourniront à leurs frais vingt trières avec les équipages, ces trières navigueront tout le temps que la flotte des Grecs sera à notre service. Parmi ceux qui ont livré la cité aux Barbares, ceux qui sont partis seront bannis de toutes les villes adhérant à la paix et seront arrêtés conformément à la décision des Hellènes, tous ceux qui sont restés seront conduits et jugés devant le synédrion des Hellènes. Si un différend surgit entre les anciens bannis et les gens de la ville, il sera porté devant notre tribunal. Jusqu'à ce que les gens de Chios soient réconciliés, il y aura chez eux une garnison dépendant du roi Alexandre, aussi importante que nécessaire et entretenue par les gens de Chios.

Lettre d'Alexandre au peuple de Chios

A l'époque romaine, où chefs militaires et empereurs se parent volontiers de la gloire d'Alexandre, plusieurs auteurs écrivent le récit de la conquête à partir de sources primaires aujourd'hui perdues.
Au IIᵉ siècle de notre ère, Arrien de Nicomédie, haut fonctionnaire de l'Empire, écrit un ouvrage détaillé sur Alexandre. Il s'explique sur les raisons de son choix.

Alexandre proclama Achille heureux, à ce qu'on dit, d'avoir trouvé un Homère comme héraut pour passer à la postérité. Et certes, Alexandre pouvait bien proclamer Achille heureux pour ce privilège, car, malgré sa chance dans les autres domaines, il a manqué quelque chose à Alexandre : ses exploits n'ont pas été célébrés comme ils le méritaient, ni en prose ni en vers ; il n'a même pas été chanté par les lyriques, comme le furent Hiéron, Gélon, Théron et beaucoup d'autres qui ne peuvent soutenir la comparaison avec lui ; en sorte que les prouesses d'Alexandre sont beaucoup moins connues que des faits très quelconques du passé. A preuve que même l'expédition des Dix Mille avec Cyrus à l'intérieur de l'Asie contre le roi Artaxerxès, les souffrances endurées par Cléarque et ceux qui furent faits prisonniers avec lui, la descente ensuite de ces mêmes Dix Mille vers la mer, sous le commandement de Xénophon, sont bien plus célèbres grâce à Xénophon qu'Alexandre et que les

L'Iliade était le livre de chevet d'Alexandre et les héros de la guerre de Troie ses modèles; à son débarquement, il vint rendre hommage à Achille. Ce tableau d'Hubert Robert présente Alexandre au milieu des tombeaux et des temples d'une Troie imaginaire.

exploits d'Alexandre. Et pourtant Alexandre ne partageait pas avec un autre la conduite d'une expédition, il n'a pas fui devant le Grand Roi ni simplement triomphé d'adversaires qui le gênaient dans sa descente vers la mer ; mais il n'y a personne, parmi les Grecs ou les Barbares, qui ait accompli des prouesses si extraordinaires, tant par le nombre que par la grandeur. C'est ce qui m'a incité, je le déclare, à composer le présent ouvrage : car je ne me crois pas indigne de faire connaître aux hommes la geste d'Alexandre. Qui que je sois pour porter ce jugement sur moi-même, je n'ai aucun besoin d'inscrire mon nom, car il est loin d'être ignoré des hommes, ni de dire quelle est ma patrie, ma famille, ni les magistratures que j'ai pu exercer dans mon pays ; il me suffit de dire que mes ouvrages sont et ont été, depuis mon enfance, ma patrie, ma famille et mes magistratures. Fort de cela, je ne m'estime pas indigne des plus grands écrivains grecs, puisque aussi bien j'écris sur Alexandre, qui compte parmi les plus grands capitaines.

Arrien, *Anabase*, I.12. 1-5

Il justifie sa méthode critique

Dans l'ouvrage qu'ils ont consacré chacun à Alexandre, fils de Philippe, il y a des passages où Ptolémée, fils de Lagos, et Aristobule, fils d'Aristobule, sont tous les deux d'accord : ces passages-là, je les suivrai dans mon récit comme entièrement véridiques ; mais, où ils divergent, je choisirai la version qui me paraîtra la plus digne à la fois d'être crue et d'être mentionnée. Il existe, c'est certain, des ouvrages variés sur Alexandre, et il n'y a pas un personnage qui ait suscité plus d'historiens et de témoignages contradictoires ; mais Ptolémée et

En dépit de ses déclarations préliminaires, Arrien n'en présente pas moins Alexandre comme un héros surhumain; il le doit en partie aux emprunts qu'il fait aux Mémoires du roi Ptolémée: il postule en effet qu'un témoignage royal ne peut être suspecté!

Aristobule m'ont semblé les plus dignes de foi dans leur exposé des faits, l'un, Aristobule, parce qu'il a pris part à l'expédition du roi Alexandre, l'autre, Ptolémée, parce qu'il a non seulement pris part à l'expédition mais que, roi lui-même, il était plus déshonorant pour lui que pour un autre de mentir ; en outre, vu qu'ils ont écrit tous les deux après la mort d'Alexandre, déformer les faits n'était pour eux ni une nécessité ni une source de profit. Il y a aussi des faits rapportés par d'autres historiens que j'ai retenus parce qu'eux aussi me semblaient mériter d'être mentionnés et en même temps n'être pas totalement sans fondement, mais uniquement comme des on-dit se rapportant à Alexandre. Par ailleurs, si l'on s'étonne de ce que, après de si nombreux historiens, moi aussi j'aie eu l'idée d'entreprendre le présent ouvrage, il ne faudra s'étonner qu'après avoir lu à fond ces historiens et ensuite avoir pris une bonne connaissance de mon livre.

Arrien, *Anabase*, introduction

Natif de Béotie, Plutarque, contemporain de Trajan et d'Hadrien, explique son choix d'une histoire psychologisante.

Plutarque établit le parallèle entre Alexandre et César.

Écrivant dans ce livre la vie du roi Alexandre et celle de César, qui abattit Pompée, nous ne ferons d'autre préambule, en raison du grand nombre de faits que comporte le sujet, que d'adresser une prière à nos lecteurs : nous leur demandons de ne pas nous chercher chicane si, loin de rapporter en détail et minutieusement toutes les actions célèbres de ces deux hommes, nous abrégeons le récit de la plupart d'entre elles. En effet nous n'écrivons pas des Histoires, mais des biographies, et ce n'est pas surtout dans les actions les plus éclatantes que se manifeste la vertu ou le vice. Souvent, au contraire, un petit fait, un mot, une plaisanterie montrent mieux le caractère que des combats qui font des milliers de morts, que les batailles rangées et les sièges les plus importants. Aussi, comme les peintres saisissent la ressemblance à partir du visage et des traits de la physionomie, qui révèlent le caractère, et se préoccupent fort peu des autres parties du corps, de même il faut nous permettre de pénétrer de préférence dans les signes distinctifs de l'âme et de représenter à l'aide de ces signes la vie de chaque homme, en laissant à d'autres l'aspect grandiose des événements et des guerres.

Plutarque, *Vie d'Alexandre,* I.I-3

Contemporain de César et d'Auguste, Diodore de Sicile expose ses objectifs dans l'introduction du livre XVII de sa « Bibliothèque historique », qu'il a consacré aux conquêtes d'Alexandre.

Le livre qui précède – le seizième de l'ouvrage complet – commençait à l'avènement de Philippe, fils d'Amyntas, et renfermait toute l'histoire de Philippe jusqu'à sa mort, ainsi que celle des autres rois, peuples et cités pendant la durée de ce règne, qui fut de vingt-quatre ans. Dans le livre que voici, nous commencerons à l'avènement d'Alexandre notre récit continu des faits, qui aura pour contenu les actions de ce roi, jusqu'à sa mort. Nous y adjoindrons ce qui s'est accompli dans les régions connues du monde habité pendant la même période. C'est ainsi, pensons-nous, que l'on retiendra le plus facilement les faits historiques, présentés sous une forme abrégée respectant d'un bout à l'autre leur continuité.

En peu de temps, ce roi accomplit de grandes actions et son intelligence comme sa bravoure lui permirent de surpasser par la grandeur de ses exploits tous les rois dont le souvenir nous a été transmis depuis le commencement des temps. En douze ans, il soumit une bonne partie de l'Europe, presque toute l'Asie, ce qui

Dans l'introduction du livre qu'il consacre à Alexandre, Diodore de Sicile le présente lui aussi comme un chef exceptionnel auquel il ne trouve aucun précédent dans toute l'histoire universelle, sujet de son œuvre monumentale connue sous le titre de *Bibliothèque historique.*

lui valut à juste titre, une gloire qui égale celle des héros et des demi-dieux d'autrefois. Mais rien ne nous oblige, dans notre préambule, à traiter de manière anticipée l'un quelconque des succès de ce roi : le détail des faits révélera assez, de lui-même, la grandeur de sa gloire. Descendant en effet d'Héraclès en ligne paternelle et des Éacides en ligne maternelle, Alexandre répondit à la réputation de ses ancêtres par ses qualités tant physiques que morales. Quant à nous, après avoir présenté le cadre chronologique de notre livre, nous allons nous tourner vers les faits qui sont proprement le sujet de notre histoire.

Diodore XVII.1.1-5

Au XIVe siècle, l'historien arabo-andalou Ibn Khaldûn s'interroge lui aussi sur la façon dont on écrit l'histoire. Dans ses « Prolégomènes » (« Muqaddima »), il met en cause la manière qu'un de ses prédécesseurs a utilisée pour transmettre une histoire invraisemblable sur la fondation d'Alexandrie d'Égypte par Alexandre.

Il arrive souvent qu'on accepte et transmette des absurdités, qui seront reprises sur la foi de l'informateur. Par exemple, Al-Mas'ûdî prétend que des monstres marins empêchaient Alexandre [le Grand] de construire la ville d'Alexandrie. Le roi fit alors fabriquer un coffre en bois contenant une caisse de verre, se mit dedans et descendit au fond de la mer. Arrivé là, il dessina ces monstres diaboliques. [Une fois revenu à terre], il fit fabriquer des reproductions métalliques de ces monstres et les fit dresser devant l'emplacement des futurs édifices d'Alexandrie. Quand les monstres firent surface, ils virent leurs images, prirent la fuite et laissèrent achever les constructions.

Voilà bien un conte à dormir debout ! Et pour plusieurs raisons. D'abord, qui pourrait croire qu'Alexandre aurait pris un coffre en verre et bravé, en personne, la mer et ses vagues ? Les rois ne prennent pas un risque pareil. Si l'un d'eux se lançait dans une entreprise aussi folle, il irait à sa propre perte, car ses sujets se révolteraient et le déposeraient. Ils n'attendraient même pas son retour.

D'autre part, on ne connaît pas aux génies de formes ou de figures spécifiques, puisqu'ils peuvent en prendre à leur gré. On ne doit pas prendre à la lettre la description que l'on fait de leurs nombreuses têtes : c'est seulement une façon d'inspirer l'horreur et l'effroi.

On voit donc combien le récit d'Al-Mas'ûdî est suspect. Mais il y a plus. Il y a un fait matériel qui démontre l'impossibilité physique de toute l'histoire. Celui qui plongerait sous l'eau, même dans un coffre, sentirait l'air se raréfier pour sa respiration naturelle. Son « esprit [vital] » ne tarderait pas à s'échauffer. Faute de l'air froid nécessaire à l'équilibre entre l'humeur du poumon et le souffle du cœur, il mourrait sur-le-champ. C'est comme cela que l'on meurt asphyxié dans une salle de bains qui n'est pas ventilée. Ceux qui descendent au fond des puits ou des souterrains étouffent, quand des miasmes échauffent l'air et qu'aucune aération n'est possible : ils périssent immédiatement. De là vient également que le poisson meurt en dehors de l'eau, car l'air ne suffit pas à maintenir l'équilibre dans ses poumons. Le poisson est extrêmement chaud, et l'eau qui équilibre son humeur est froide. Comme l'atmosphère, hors de l'eau, est chaude, elle l'emporte sur les esprits animaux et le poisson périt sur l'heure. Il en va de même pour les morts subites.

Ibn Khaldûn,
Discours sur l'histoire universelle

Dans tous les pays du Moyen-Orient islamisé, le personnage d'Alexandre est rapidement devenu une figure mythique sous le nom d'Ishkandar, auquel les conteurs populaires et les écrivains prêtent les plus grands exploits ainsi que des qualités guerrières et humaines hors du commun. En tant qu'historien soucieux de la vérité, Ibn Khaldûn s'oppose à certaines de ces légendes.

Dès la mort d'Alexandre, dans les cours et les armées de ses successeurs, artistes et historiens ont contribué à la naissance d'un Alexandre mythique, paré de toutes les vertus. A l'époque romaine, un petit ouvrage de Plutarque témoigne de la popularité d'un mythe réinterprété et réutilisé dans le cadre des conquêtes menées par les armées romaines. Alexandre est devenu le prototype du grand héros conquérant qui vient apporter le progrès et la civilisation aux populations barbares et sauvages.

Aucun de ces philosophes [Pythagore, Socrate, Arcésilas, Carnéade] ne fut continuellement occupé à mener des guerres aussi importantes, ni à répandre la civilisation chez des princes barbares, ni à fonder des cités grecques chez les peuples sauvages ; ils n'eurent pas non plus à instruire sans cesse des peuples sans loi et ignorants des principes de la loi et de la paix... Par ses paroles, ses actes et par son œuvre d'éducation,.on verra qu'il fut en vérité un philosophe.

Si vous examinez les résultats de l'œuvre d'éducation menée par Alexandre, vous verrez qu'il a enseigné aux Hyrcaniens la pratique du mariage, qu'il a appris aux Arachosiens à cultiver la terre, qu'il a persuadé les Sogdiens de nourrir leurs parents au lieu de les tuer, et les Perses de respecter leur mère au lieu de s'unir à elle dans le mariage. Ô merveilleux pouvoir de la philosophie, grâce à laquelle les Indiens en vinrent à rendre hommage aux dieux grecs et les Scythes à ensevelir leurs morts au lieu de les manger. (...)

Quand Alexandre eut civilisé l'Asie, Homère était couramment lu, et les enfants des Perses, des Susiens et des Gédrosiens apprenaient à déclamer les tragédies de Sophocle, et d'Euripide... Il fonda plus de soixante-dix cités parmi les peuples sauvages et parsema l'Asie de lois grecques, et vainquit ainsi leur mode de vie de non-civilisés, proche de celui des animaux sauvages... Ceux qui ont été vaincus par Alexandre sont plus heureux que ceux qui ont échappé à son pouvoir ; car ceux-ci n'ont pas mis fin à leur existence misérable, alors que le vainqueur a contraint les autres à mener une vie prospère et heureuse... Ainsi, des peuples conquis par Alexandre, il est plus juste de dire qu'ils n'auraient pas connu la civilisation s'ils n'avaient pas été soumis par la force. L'Egypte n'aurait pas son Alexandrie, ni la Mésopotamie sa Séleucie, ni la Sogdiane sa Prophtasia, ni l'Inde sa Bucephalia, ni le Caucase une cité grecque ; en fondant des cités dans ces régions, Alexandre en abolit la sauvagerie : la nature la pire, par le contact avec la meilleure, changea sous son influence. (...)

Le but premier de l'expédition était celui d'un philosophe : non pas d'obtenir pour lui le luxe et les richesses, mais d'assurer à tous les hommes la concorde, la paix et la communauté d'intérêts. (...) Il ne parcourut pas l'Asie tel un brigand, et il n'était pas guidé par le désir d'amasser du butin ni de mettre à nu le pays, contrairement plus tard à Hannibal en Italie ou, plus tôt, aux Trères en Ionie ou aux Scythes en Médie. Alexandre, bien au contraire, voulait rendre tous les habitants de la terre sujets d'un même État, et leur révéler qu'ils formaient un seul peuple : et il donna corps à ce dessein.

Plutarque,
Sur le destin d'Alexandre,
328-330

Au cours de la conquête de l'Iran oriental et de l'Afghanistan, Alexandre laissa de nombreux colons dans des cités construites à la grecque, qui furent à l'origine des royaumes gréco-bactriens. L'art du Gandhara témoigne de l'intimité des contacts culturels entre la Grèce et l'Inde : sur ces sculptures du siècle, la représentation du bouddha est marquée par l'influence de la statuaire héllénistique.

Alexandre d'hier et d'aujourd'hui

Dès le milieu du XIXe siècle, l'œuvre d'Alexandre au Moyen-Orient est présentée aux élèves de l'enseignement secondaire. Dans tous les manuels, l'accent est mis systématiquement sur les aspects constructifs d'une conquête coloniale qui apporte aux pays soumis les bienfaits de la civilisation européenne de l'ère industrielle : la paix, l'entente entre les peuples, le développement de l'urbanisation et du commerce, la diffusion des modèles culturels des conquérants. On y retrouve tous les stéréotypes déjà mis en place par Plutarque et bien d'autres auteurs de l'époque héllénistique et romaine.

Dans sa classe, l'instituteur transmet aux enfants l'idéologie de la IIIe République, fondée sur l'idée de progrès; de par sa supériorité économique et

Spécialiste de l'histoire de l'Antiquité, bientôt ministre de l'Instruction publique sous Napoléon III. Duruy dresse en 1858 un bilan très positif d'Alexandre dans son « Abrégé d'histoire grecque » (classe de cinquième, programme 1857).

Mort d'Alexandre (323)

Depuis quelque temps les présages sinistres se multipliaient, l'esprit même d'Alexandre en fut frappé, et pour chasser ces inquiétudes, il s'abandonna sans retenue à ces plaisirs de la table où tant de fois lui et son père avaient laissé leur raison. Sous la latitude de Babylone, cette intempérance était un arrêt de mort. A la suite, en effet, de

culturelle, la France se doit de porter son message au-delà des mers, par la conquête et la colonisation. Alexandre devient dès lors l'un des modèles du héros colonisateur.

plusieurs orgies longtemps prolongées, il fut pris d'une fièvre dont il avait peut-être gagné le germe dans les miasmes des marais du Pallacopas. Elle le mina durant dix jours ; le onzième, il expira, 21 avril 323. Quelques semaines auparavant, des députés grecs étaient venus l'appeler dieu et l'adorer.

Alexandre n'avait pas accompli sa trente-troisième année quand il mourut. La force avait à peu près achevé son œuvre : c'était à la sagesse à faire la sienne. Cette seconde tâche eût-elle été au-dessus de lui ? Le peu qu'il a laissé entrevoir de ses desseins et de sa politique montre ce qu'il aurait pu faire.

Les vaincus gagnés par les égards du vainqueur et associés à ses plans ;

Le commerce, lien des nations, développé sur une immense échelle et voyant devant lui les routes ou nouvelles ou pacifiées qu'Alexandre lui a ouvertes, les ports, les chantiers, les places de refuge ou d'étape qu'il lui a préparés ;

L'industrie vivement sollicitée par ces immenses trésors autrefois stériles, maintenant jetés dans la circulation par la main prodigue du conquérant ;

La civilisation grecque portée et enracinée sur mille points de l'empire par tant de colonies, dont une seule, Alexandrie, reçut et versa incessamment un flot inépuisable de richesses et d'idées ;

Les peuples, les idées, les religions, mêlés, confondus dans une unité grandiose, d'où une civilisation nouvelle serait sortie :

Voilà ce qu'Alexandre avait préparé, et pourquoi depuis deux mille ans le monde s'arrête et s'incline devant le nom de ce jeune victorieux.

V. Duruy,
Abrégé d'histoire grecque

Victor Duruy

On considère que l'enseignement d'Aristote fit d'Alexandre un scientifique soucieux de répertorier la flore et la faune des pays conquis. Mais le roi ne suivit pas l'avis du philosophe qui lui avait conseillé de traiter les vaincus, non comme des hommes, mais comme des animaux ou des plantes.

On retrouve les mêmes thèmes dans tous les manuels postérieurs. Les auteurs tendent à reléguer dans l'ombre, voire à nier, les aspects négatifs du caractère d'Alexandre, tel qu'on peut le reconstituer à partir des auteurs anciens. Les jugements d'hommes politiques et d'écrivains contemporains (Napoléon, Montesquieu) sont souvent amenés à l'appui.

Résultat des conquêtes d'Alexandre

Alexandre a été très diversement jugé. Il est certain qu'on peut lui reprocher plus d'un acte de violence et de cruauté, surtout vers la fin de sa carrière. L'exercice d'un pouvoir sans bornes et les flatteries qui l'accompagnent avaient eu sur son esprit leur effet trop ordinaire. Il n'en mérite pas moins une place élevée parmi les civilisateurs. Si dans l'art militaire on doit le placer au-dessous d'Annibal, de Napoléon et peut-être de César et de Frédéric II, son expédition n'en reste pas moins une des plus extraordinaires qui aient été accomplies, et elle n'était possible qu'avec une armée aussi résistante que l'armée grecque. Car il n'eut pas toujours des ennemis aussi méprisables qu'on s'est plu à le répéter, et les obstacles de toutes sortes que lui opposait la nature dans ses marches à travers tant de pays, fleuves, montagnes, déserts auraient arrêté un général qui n'aurait pas tout prévu et qui n'aurait pas eu une connaissance profonde de l'art de la guerre. La Grèce sans doute ne gagna pas aux conquêtes d'Alexandre. Elle fut après sa mort déchirée par les discordes de ses généraux. Mais ce qu'on ne peut nier, c'est qu'il répandit la civilisation hellénique, partout où son influence put s'étendre. Il y eut un royaume grec en Bactriane ; il y en eut un aussi en Ethiopie, à Méroé, sur la frontière du désert. Alexandre chercha même à réunir la civilisation grecque et les civilisations orientales. A supposer que l'hellénisme y perdît, l'humanité y gagnait. Qu'est-ce que ce conquérant, dit Montesquieu, qui est pleuré de tous les peuples qu'il a soumis ; qu'est-ce que cet usurpateur sur la mort duquel la famille qu'il a renversée du trône verse des larmes... Il semblait qu'il n'eût conquis que pour être le monarque particulier de chaque nation. C'est ce qui avait déjà frappé les anciens. Sous son gouvernement, dit Plutarque, les peuples oubliaient leur vieille inimitié et leur propre impuissance. C'était là une politique toute nouvelle et qui prouve dans Alexandre une singulière hauteur de vues ; car il devait lutter, pour l'appliquer, contre les préjugés de sa race, de son éducation, de son temps et de son armée.

L'expédition d'Alexandre a eu spécialement de grandes conséquences pour le commerce, ainsi que pour les sciences naturelles, et marque une époque dans l'histoire de la géographie. Alexandre eut soin d'envoyer à Aristote des échantillons des divers animaux d'espèces inconnues ou peu connues jusque-là en Europe, qui se trouvaient dans les pays parcourus par son armée. C'est ce qui permit à ce grand philosophe de composer son *Histoire des animaux* qui est restée un chef-d'œuvre d'observation scientifique. — L'expédition d'Alexandre fit connaître à l'Europe plusieurs plantes nouvelles, par exemple le pêcher, le citronnier, le riz qui y furent bientôt acclimatés. Par son ordre, Hiéron fit un voyage en Arabie, Héraclide explora une partie de la mer Caspienne, Onésicrite une partie de l'Inde. On a déjà rappelé le voyage de Néarque dont la relation nous est parvenue.

R. Peyre,
Histoire ancienne (Orient-Grèce)
(classe de seconde, programme 1902)
Paris, Delagrave, s.d.

Plus réservé sur le principe même des conquêtes coloniales, l'abbé Gagnol n'en est pas moins élogieux sur l'œuvre d'Alexandre. Il met en valeur ce qu'il appelle l'effet « scientifique » de la conquête d'Alexandre, que de nombreux auteurs n'hésiteront pas à transformer en une « expédition de découverte » — point de vue très caractéristique de la « géographie coloniale » qui se crée sous l'impulsion de R. Demangeon.

Alexandre et son œuvre

« Alexandre, a dit Napoléon, à peine au sortir de l'enfance, conquiert, avec une poignée de monde, une partie du globe ; mais fut-ce de sa part une simple irruption, une façon de déluge ? Non ; tout est calculé avec profondeur, exécuté avec audace, conduit avec sagesse. Alexandre se montre tout à la fois grand guerrier, grand politique, grand législateur. Malheureusement, quand il atteint le zénith de la gloire, la tête lui tourne, ou le cœur se gâte : il avait débuté avec l'âme de Trajan, il finit avec le cœur de Néron et les mœurs d'Héliogabale. »

Ce jugement est de quelqu'un qui se connaissait en hommes. Pourtant les dernières paroles nous semblent trop sévères. Il n'est pas vrai de dire qu'Alexandre ait jamais eu le cœur d'un Néron ni les mœurs d'un Héliogabale. Des actes regrettables de cruauté, trop nombreux, fruits de l'orgueil et de la colère, ont assombri sa gloire ; mais son cœur resta bon quand même. Nous en avons pour preuve les larmes inconsolables de ses soldats, des vaincus eux-mêmes, qui le pleurèrent aussi amèrement que les vainqueurs. Il n'était point un *monstre*, le prince à qui la vénérable Sisygambis, mère de Darius, sa captive, n'eut point la force de survivre : succombant à sa douleur, elle se voila la tête, renonça en même temps à la nourriture et à la lumière ; cinq jours après elle expira.

Alexandre n'eut jamais non plus les mœurs d'Héliogabale ; ce qu'on peut surtout lui reprocher, c'est l'intempérance dans des banquets et des festins, qui le plus souvent venaient à la suite de longues fatigues, et qui doivent pour ce motif obtenir quelque indulgence. Mais il fut assez fort et assez grand pour respecter la pudeur et la vertu : sous ce rapport, on ne voit guère de héros de l'antiquité qui puisse lui être comparé. L'homme qui à l'âge de trente-deux ans avait parcouru et subjugué le monde ne pouvait être un homme de plaisirs.

Son œuvre

Dans l'œuvre d'Alexandre, il y a deux choses à considérer : ce qu'il voulait faire et ce qu'il a fait.

Ce qu'il voulait faire. — Pas plus que les autres conquérants, Alexandre n'a soumis les peuples pour leur plus grand bonheur, mais qu'il se soit désintéressé de leur bien quand ils ont été une fois vaincus, c'est ce qu'on ne pourrait prétendre. Toute sa conduite tend à montrer que son désir était de fondre tous ces peuples en un seul peuple ; d'amener la concorde entre tous par une large tolérance de leurs coutumes locales, par un profond respect pour leur religion et leurs souvenirs nationaux ; puis, dans cet empire où

Faite prisonnière après la défaite perse d'Issos, la reine-mère Sisygambis resta dans l'entourage d'Alexandre. Depuis l'Antiquité, les textes apologétiques insistent sur les rapports filiaux noués par le conquérant avec la mère de son ennemi. Sa mort, à Suse, au milieu du faste royal, est l'un des sujets les plus fréquemment traités dans l'iconographie.

régneraient la paix et la sécurité, il aurait versé le bien-être par le développement du commerce et de l'industrie. De là ces immenses travaux qui suivent chaque conquête, ces villes fondées, ces ports creusés, ces fleuves canalisés, toutes ces entreprises, en un mot, qui révèlent un génie d'une extraordinaire puissance.

Ce qu'il a fait. — La mort, saisissant Alexandre à l'âge de trente-deux ans, ne lui a permis ni d'unifier ni d'organiser ses conquêtes, et ses vastes projets sont restés en général à l'état d'ébauche. Pourtant son passage dans la scène du monde fut loin de ressembler à ces torrents impétieux auxquels il a été pendant longtemps de bon ton de le comparer dans les amplifications de rhétorique, torrents qui s'écoulent en un instant en jetant partout autour d'eux les ruines et la mort. Son œuvre, inachevée, ne laissa pas d'être belle et féconde ; on peut en résumer ainsi les principaux résultats :

1° Le commerce fut développé sur une immense échelle entre l'Europe et l'Orient, grâce aux routes qu'il lui ouvrit ou qu'il améliora, aux ports et aux places de refuge qu'il lui ménagea.

2° L'industrie reçut une vive impulsion par suite de l'abondance du numéraire. Les trésors incalculables que les Achéménides laissaient dormir dans leurs caisses royales furent par Alexandre jetés, sans y regarder, dans la circulation.

3° La langue et la civilisation grecque se répandirent à travers toute l'Asie jusque dans le bassin de l'Indus, par les colonies semées adroitement sur mille points. Le moule grec fut brisé, et les idées qu'il renfermait s'écoulèrent dans le monde.

4° Un mouvement puissant fut imprimé aux sciences, en particulier à

D'un manuel à l'autre, au XXe siècle comme au XIXe, l'œuvre d'Alexandre est présentée sous des rubriques qui véhiculent des stéréotypes dérivant plus ou moins directement des auteurs de l'Antiquité.

l'astronomie, à la géographie, à l'histoire naturelle. Alexandre fit de son expédition une expédition scientifique, emmenant avec lui des naturalistes, des géomètres, des historiens, des philosophes, des artistes. De la haute Asie il envoyait à Aristote des collections de plantes et des animaux rares.

Bref, quelque éphémère qu'ait été son empire, cet empire a laissé dans l'histoire des pages autrement intéressantes et glorieuses que ne l'aurait fait la Grèce dégénérée si elle était demeurée libre, c'est-à-dire livrée à ses misérables coteries et à ses querelles intérieures.

Abbé P. Gagnol, *Histoire ancienne (De la préhistoire aux Grecs)* (classes de seconde A et B, programme 1902) 2e éd., Paris, de Gigord, 1920

A la veille de la guerre qui allait s'ouvrir avec l'Allemagne, le commandant Reynaud suggère à ses compatriotes de puiser confiance en l'avenir dans la carrière d'Alexandre, qu'il présente comme un précédent de la grandeur française.

Certes Alexandre fut dans toute l'acception du terme un soldat et un entraîneur d'hommes, et nous évoquerons rapidement la phase brillante de l'épopée macédonienne. Mais pour Alexandre la guerre était un moyen de réaliser ses vastes projets, et non le but vers lequel il tendait ; il avait conçu le rêve généreux de réconcilier l'Asie avec l'Europe et de résoudre le problème éternellement posé : la question d'Orient. Alexandre a construit plus de villes qu'il n'en a détruit : il a fondé Alexandrie d'Égypte, et aussi Hérat, Kandahar, aujourd'hui encore capitales asiatiques. Il fut explorateur et d'autant plus remarquable comme administrateur qu'il ne disposait pas des moyens de transmission perfectionnés qui facilitent tant la tâche des gouvernements d'aujourd'hui. Il avait créé un empire qui s'étendait de l'Adriatique aux Indes, mais le temps lui manqua pour achever et consolider son œuvre.

Nous nous attarderons sur cette dernière partie de la mission d'Alexandre et nous demanderons au héros macédonien une leçon de colonisation qui, pour être vieille de plus de deux mille ans, est néanmoins pour nous, aujourd'hui surtout, d'une brûlante actualité.

Il se proposait de fondre en un seul peuple les Persans et les Grecs réconciliés. Il respectait le bien d'autrui ; bien mieux, il avait pour la femme ce respect chevaleresque que dans trois cents ans préconisera le christianisme.

La méthode de protectorat utilisée par la France au Maroc dérive de l'expérience coloniale d'Alexandre.

Depuis que le monde existe, les peuples puissants et civilisés ont toujours cherché à agrandir leur domaine au détriment des races plus faibles. La colonisation est un problème qui comporte des solutions très variées qu'on peut ramener à deux : la méthode brutale consistant à asservir les peuples vaincus ; à les refouler, à les détruire. C'est elle qui a été appliquée par les Turcs dans tous les pays qu'ils ont conquis, par les Espagnols au Mexique, par les Américains du Nord avec les Peaux-Rouges ; — la méthode plus humaine consistant à associer les habitants à l'exploitation de leur propre territoire à en faire des collaborateurs. C'est ce dernier système que nous avons suivi et, après de nombreuses expériences successives, nous sommes arrivés à la solution la plus sage et la plus durable dans ses effets : le protectorat.

Alexandre, lui, sans aucune expérience préalable, applique d'emblée ce même principe. Reconnaissant l'impossibilité d'administrer directement les peuples vaincus, il conserve leur organisation administrative, maintient à la tête de chaque service les directeurs qui en avaient la charge avant son arrivée, mais il place à côté de chacun d'eux un conseiller technique, qui est en même temps un contrôleur. Le peuple ne voit rien de changé à la hiérarchie sociale de laquelle il relève, aux habitudes administratives, aux lois. Toutefois, si avant Alexandre les divers chefs de

Quelques années après la crise franco-allemande à propos du Maroc, et quelques semaines avant la Première Guerre mondiale, un officier français veut voir dans l'héritage d'Alexandre la justification de la présence française dans le protectorat.

service commettaient des exactions et des actes arbitraires, ils sont aujourd'hui astreints à une extrême correction. Cette innovation, acceptée avec joie, fait apprécier le nouveau régime par des gens disposés au fond à obéir indifféremment à Darius ou à Alexandre.

Le roi de Macédoine se réserve la force publique. Il a des garnisons nombreuses facilement mobilisables dans les principales villes de l'Empire. Le réseau routier qu'il organise, si utile aux intérêts économiques, facilite d'autre part la tâche des troupes chargées du maintien de l'ordre. Celles-ci sont secondées par des troupes indigènes pourvues de chefs persans et encadrées par des officiers macédoniens.

Quand Alexandre maintient un roi à la tête de ses Etats, comme Porus, il lui laisse toute son autorité ancienne, ses privilèges et se borne à le diriger et à le contrôler.

Le protectorat tel que le comprend Alexandre consiste donc à conserver l'organisation sociale et administrative des peuples vaincus en maintenant autant que possible les mêmes cadres. Mais il moralise tout ce personnel qui laissait un peu à désirer, en lui imposant une probité qui, il faut bien le dire, n'était guère dans les habitudes au quatrième siècle avant Jésus-Christ.

Nous qui avons tout un passé, des traditions généreuses, et cette éducation qui est l'héritage du christianisme, nous sommes arrivés après bien des étapes et des tâtonnements au mode de colonisation qui est incontestablement le plus honnête. Et, seuls de tous les peuples européens, nous allons le mettre en pratique au Maroc.

Commandant Reynaud,
« Alexandre le Grand colonisateur »,
la Revue hebdomadaire, 23e année,
n° 4, 11 avril 1914

Héraut du culte du chef, admirateur de l'Allemagne de Hitler, Jacques Benoist-Méchin tire les leçons du règne d'Alexandre dans la « Préface » de sa traduction de l'« Alexandre » de J.G. Droysen, qu'il présente en 1935 au public français.

Ce livre, on peut le lire comme une épopée antique, comme le récit d'une existence fabuleuse tout entière inspirée par les deux plus nobles passions de l'homme, l'esprit de sacrifice et l'esprit d'entreprise. On peut aussi le lire comme une des plus puissantes synthèses historiques que nous ait léguée le XIXe siècle, comme un ouvrage à placer sur le même rayon que Mommsen et Burckärdt, Carlyle ou Michelet.

Mais on peut aussi le lire — et c'est, je crois, la façon la plus immédiatement profitable — comme l'exemple de ce que peut accomplir une personnalité de génie, à une époque où l'histoire semble perdre souffle et attendre d'un individu qu'il lui fournisse une impulsion nouvelle. A ce point de vue, on découvre dans la méditation des actes d'Alexandre, mieux que partout ailleurs, les éléments d'un « culte de la personne », dont nous avons à l'heure actuelle le plus pressant besoin. Les leçons des amphyctionies et des assemblées de Corinthe est des plus instructives à cet égard. Notre confiance excessive dans les pactes et les institutions nous fait volontiers oublier que seul l'individu est capable d'orienter un peuple qui dirige son histoire. A condition de le vouloir avec suffisamment de force et de constance, les nations finissent toujours par trouver le chef qu'elles espèrent. Celui-ci leur rappelle alors la vérité trop souvent méconnue que ce sont les hommes qui font les choses et non les choses qui font les hommes.

J. Benoist-Méchin,
Préface à la traduction française
de *Alexandre le Grand*, J.G. Droysen,
Paris, 1935

En 1949, l'historien-philosophe René Grousset tire des leçons désabusées de l'expédition d'Alexandre à la lumière des premières luttes de décolonisation dans ce qui va devenir le tiers monde.

Alexandre est sans doute le premier homme d'Etat à avoir pensé planétairement... Il n'aura pas pour autant réussi à helléniser à fond la vallée du Nil, qui restera copte, la Syrie et la Mésopotamie, qui resteront araméennes, l'Iran, qui restera iranien. Ne nous laissons pas prendre à la parade hellénisante que joueront sur leurs monnaies les dynastes anatoliens ou parthes. De siècle en siècle, nous verrons ce vernis d'hellénisme s'effriter et le fond indigène reparaître à nu. Les monnaies parthes, kouchanes ou sassanides vont progressivement se « rebarbariser ». En Syrie, en Mésopotamie, les noms sémitiques, les noms millénaires des monts, des eaux et des cités vont de même reparaître à la surface, après avoir éliminé toute la toponymie macédonienne ou grecque, d'importation « coloniale ».

Loin de nous de méconnaître les résultats de la conquête macédonienne. Elle a changé la face du monde, elle représente à coup sûr un des renouvellements les plus féconds de l'histoire. Mais, précisément, parce qu'elle correspond à la première colonisation d'ensemble tentée par un grand empire, elle nous rappelle, mélancolique spectacle, que toute colonisation, à la longue, épuise son potentiel et que, tôt ou tard (les siècles pour le philosophe importent peu), le pays colonisé, après avoir bénéficié largement de l'effort du colonisateur, se trouve lui-même avec son âme inchangée. Il est vrai que le colonisateur peut éviter de tels retours en arrière en prenant soin d'exterminer l'indigène (le cas, assure-t-on, s'est quelquefois rencontré, même du fait de peuples aux propos les plus vertueusement anti-colonialistes)... Mais, c'est précisément une méthode que le génie si profondément humain d'Alexandre n'eut, à coup sûr, jamais admise, puisque, en Iran et en Egypte, il en a pris exactement le contre-pied... L'incendie de Persépolis ne fut heureusement qu'une exception, un de ces crimes contre la civilisation qu'on croyait réservé au passage des hordes.

R. Grousset,
Figures de proue, Paris, 1949

En 1979, devant un parterre d'intellectuels mexicains, le président Valéry Giscard d'Estaing se situe dans la continuité d'Alexandre le Grand, qu'il présente comme le fondateur de la lignée des hommes d'Etat « conceptuels ».

Le problème des rapports entre les hommes politiques, les hommes d'Etat et les intellectuels est un problème qui a toujours été sensible, délicat, et que je considère comme essentiel. Dans la catégorie des hommes politiques ou des hommes d'Etat, en fait il y a deux groupes. Le premier, c'est ce que j'appellerais les aventuriers. Ce n'est pas une expression péjorative. Je veux dire ceux qui conçoivent l'action politique en termes d'exploitation des circonstances immédiates.

Il y a dans l'Histoire de très glorieux aventuriers, et il arrive souvent que ces aventuriers aient une certaine intuition des nécessités de leur époque et que, bien qu'ils se déterminent en fonction des opportunités de circonstance, leurs actions s'inscrivent dans des perspectives à plus long terme. Et il y a d'autre part les hommes d'Etat conceptuels, c'est-à-dire ceux dont l'idée est de traduire, au travers de leur action politique, une certaine conception de l'organisation économique, sociale et politique de leur pays et une certaine conception de l'organisation internationale du monde du moment.

Cette dernière catégorie est très nombreuse et très brillante, c'est celle de tous les hommes d'Etat qui ont fait

Aux chefs d'Etat «aventuriers», le président Giscard d'Estaing oppose les «conceptuels». La présentation qu'il donne d'Alexandre dérive de l'historien prussien Droysen qui, dans les années 1830-1840, avait imposé l'idée de la fusion entre l'Europe et l'Asie.

précéder leur action d'une certaine forme de délibération ou d'interrogation. Je dirais que le fondateur de la dynastie est Alexandre, avec son rêve de noces entre l'Europe et l'Asie, et il y a une très grande série qui s'est animée au moment de la Renaissance et au moment du Siècle des Lumières par tous ceux qui ont conçu que leur action politique serait au service d'une certaine idée a priori de l'organisation de la vie sociale et de la vie politique.

Pour ma part, j'espère appartenir à cette seconde catégorie. En tout cas — ce qui est un signe encourageant — je ne me sens bien que dans les relations que j'entretiens avec les hommes politiques de cette seconde catégorie, c'est-à-dire avec ceux qui entretiennent la dialectique de la réflexion et de l'action. Et, pour entretenir cette dialectique il est très important d'avoir des entretiens, des rencontres avec les intellectuels de son temps (...).

V. Giscard d'Estaing,
Le Monde, 4-5 mars 1979

La succession d'Alexandre

La mort brutale d'Alexandre à Babylone ouvre une difficile période de succession, lourde de menaces pour l'avenir. En l'absence d'un héritier indiscutable, les principaux lieutenants du roi défunt manifestent leurs ambitions concurrentes.

Un premier règlement consacre l'autorité de Perdiccas.

Les généraux d'Alexandre étaient dignes d'aspirer à son trône, car ils avaient un tel courage et inspiraient un tel respect qu'on les eût pris pour autant de rois. Telle était la beauté de leur corps, la hauteur de leur taille, la grandeur de leur force et de leur sagesse que, si on ne les connaissait pas, on pouvait croire qu'ils avaient été choisis, non dans une seule nation, mais dans tout l'univers. Jamais auparavant la Macédoine, ni aucune autre contrée n'avait vu fleurir tant d'hommes illustres. Philippe d'abord, Alexandre ensuite les avaient choisis avec tant de soin qu'ils semblaient avoir cherché moins des compagnons de guerre que des successeurs de leur puissance. Qui s'étonnerait dès lors qu'avec de tels serviteurs Alexandre ait vaincu le monde, alors que l'armée macédonienne était commandée, je ne dirai pas par tant de chefs, mais par tant de rois ? Ils n'auraient jamais trouvé leurs pareils, s'ils ne s'étaient battus entre eux, et la province de Macédoine aurait eu beaucoup d'Alexandres, si la fortune, suscitant entre eux une émulation de courage, ne les eût armés pour leur ruine mutuelle.

Au reste, si la mort d'Alexandre leur causa de la joie, elle troubla aussi leur repos ; car ils aspiraient tous à la même place et ils ne craignaient pas moins les soldats qu'ils ne se craignaient mutuellement ; car les soldats s'abandonnaient à la licence et leur faveur était incertaine. Entre les chefs mêmes, l'égalité des droits augmentait la discorde, personne ne surpassant assez les autres pour qu'on voulût se soumettre à lui. C'est pourquoi ils s'assemblent en armes dans le palais pour régler l'administration de l'État.

Perdiccas émet l'avis d'attendre l'accouchement de Roxane, femme d'Alexandre, qui était prochain, car elle avait passé son huitième mois de grossesse ; et, si elle donnait le jour à un fils, de le prendre pour successeur de son père. Méléagre soutient, au contraire, qu'il ne faut pas différer leur décision jusqu'à un accouchement douteux, qu'on ne doit pas attendre la naissance d'un roi, quand on peut en choisir qui sont déjà nés. S'ils veulent un enfant, il y a à Pergame un fils d'Alexandre, né de Barsine, qui porte le nom d'Hercule ; s'ils préfèrent un jeune homme, il y a dans le camp un frère d'Alexandre, Arridée, prince affable et agréable à tous non seulement par son nom, mais encore par celui de son père Philippe. Au reste, Roxane est Persane d'origine et il n'est pas permis d'imposer aux Macédoniens des rois du sang de ceux dont ils ont détruit les royaumes. Il ajoute qu'Alexandre lui-même ne l'a point voulu, puisqu'en mourant il n'a fait aucune mention de cet enfant. Ptolomée se déclare contre le choix d'Arridée non seulement à cause de l'infamie de sa mère, car il était né d'une courtisane de Larissa, mais encore à cause de l'épilepsie dont il souffrait. Il était à craindre qu'il ne retînt que le nom de roi et n'abandonnât le pouvoir à un autre.

En 323, Alexandre ne laisse aucun héritier direct. Malgré le symbolisme appuyé de ce tableau, son mariage avec la princesse iranienne Roxane ne lui a pas encore apporté de postérité. A cette date, Roxane est enceinte, elle va bientôt donner naissance à un fils, qui règnera sous le nom d'Alexandre (IV), partageant le titre royal avec Arrhidée (Philippe III), demi-frère d'Alexandre.

Mieux valait choisir parmi ceux que leur mérite avait le plus rapprochés de leur roi, qui gouvernent des provinces, à qui l'on confie la direction des guerres que de se soumettre à des gens indignes commandant au nom du roi. L'avis de Perdiccas prévalut du consentement de tous. On résolut donc d'attendre l'accouchement de Roxane et, si elle donnait le jour à un fils de lui nommer pour tuteurs Léonat, Perdiccas, Cratère et Antipater, qui reçurent à l'instant le serment de fidélité.

Justin, *Histoires philippiques*
XIII – 1. 10-15 ; 2. 1-14.

Les fantassins, soucieux de conserver à la Macédoine la place centrale dans l'Empire, ne l'entendent pas de cette oreille et font sécession. Cette première guerre civile aboutit à reconnaître les droits de Philippe, demi-frère d'Alexandre :

Les cavaliers ayant suivi cet exemple, les fantassins, indignés qu'on les eût tenus en dehors des délibérations, proclament roi Arridée (Philippe), frère d'Alexandre, lui choisissent une garde tirée de leurs rangs et veulent qu'il porte le nom de Philippe, son père. A cette nouvelle, la cavalerie députe, pour apaiser leurs esprits, deux de ses principaux chefs, Attale et Méléagre. Ceux-ci, flattant la foule pour accroître leur crédit, abandonnent leur mission et passent au parti des soldats. La sédition grandit, dès qu'elle a une tête et une direction. Ils courent tous en armes au palais pour égorger les cavaliers. Instruits de leur intention, ceux-ci sortent précipitamment de la ville, établissent un camp et dès lors ils effrayent eux-mêmes les fantassins. Mais entre les chefs non plus les haines ne se calmaient pas. Attale envoie des gens tuer Perdiccas, chef du parti contraire ; mais, comme Perdiccas était armé et défiait lui-même les meurtriers, ils n'osèrent pas approcher de lui. Telle fut même son intrépidité qu'il se rendit de lui-même chez les fantassins et, les ayant convoqués à une assemblée, leur remontra quel crime ils tramaient : « Regardez, leur dit-il, contre qui vous avez pris les armes : ce ne sont pas des Perses, mais des Macédoniens ; ce ne sont pas des ennemis, ce sont vos concitoyens ; beaucoup même vous sont liés par le sang ; en tout cas, ils sont vos compagnons d'armes, ils ont partagé vos camps et vos périls. Vous allez donner à vos ennemis un beau spectacle, avec la joie de voir se massacrer entre eux ceux qui les ont battus et humiliés, et vous allez sacrifier votre sang aux mânes des ennemis que vous avez tués. »

Perdiccas prononça ces paroles avec l'éloquence singulière qui était un de ses talents. Il émut si vivement les fantassins qu'approuvant ses conseils, ils le choisirent unanimement pour chef. Alors les cavaliers, rappelés pour s'entendre avec eux, consentent au choix d'Arridée, en réservant une partie du royaume pour le fils de Roxane, si elle avait un fils. Ils délibéraient en présence du corps d'Alexandre, placé au milieu de l'assemblée, afin d'avoir sa majesté pour témoin de leurs décisions.

Justin, *Histoires philippiques*
XIII – 3. 1-10 ; 4. 1-4

Cela fait, il revient à Perdiccas de présider à la répartition des satrapies. Les plus influents des successeurs – des diadoques – s'attribuent les commandements les plus importants.

Investi du commandement suprême, Perdiccas tint conseil avec les chefs. Il donna l'Égypte à Ptolémée fils de Lagos, la Syrie à Laomédon de

Alexandrie d'Egypte (représentée en allégorie) commençait à jouer un rôle important en Méditerranée. Dès la mort d'Alexandre, l'un des généraux, Ptolémée, exigea le commandement de l'Egypte dont il songeait déjà à faire un royaume indépendant.

Mitylène, la Cilicie à Philotas et la Médie à Peithon. Eumène reçut la Paphlagonie et la Cappadoce avec tous les territoires adjacents : les circonstances avaient empêché Alexandre de les envahir lorsqu'il faisait la guerre à Darius. Antigone eut la Pamphylie, la Lycie et ce que l'on appelle la « Grande Phrygie ». Ensuite, Asandros reçut la Carie, Ménandre la Lydie, Léonnat la Phrygie Hellespontique. C'est ainsi que furent réparties ces satrapies. En Europe, Lysimaque reçut la Thrace et les peuplades avoisinantes en bordure du Pont Euxin, tandis qu'échurent à Antipatros la Macédoine et les peuplades établies à proximité. Quant aux satrapies asiatiques dont le cas avait été réservé, il parut bon de n'y rien bouger et de les laisser sous l'autorité des mêmes chefs. De même, Taxile et Pôros seraient souverains de leurs royaumes, comme Alexandre l'avait lui-même établi. Quant à la satrapie limitrophe de ces royaumes, il l'accorda au roi Taxile. Celle qui s'étend au pied du Caucase, appelée « Pays des Paropanisades », fut attribuée au Bactrien Oxyartès, dont Alexandre avait épousé la fille, Roxane. En outre, il donna l'Arachosie et la Gédrosie à Sibyrtios, l'Arie et la Drangiane à Stasanor de Soloi. La Bactriane et la Sogdiane échurent à Philippe, la Parthyène et l'Hyrcanie à Phratapherne ; la Perside à Peukestas, la Carmanie à Tlépolème, la Médie à Atropatès, la Babylonie à Archôn, la Mésopotamie à Arkésilaos. De son côté, Séleucos fut nommé *Hipparque* des Compagnons : c'était le commandement militaire le plus prestigieux, car Héphaistion l'avait exercé le premier, et après lui Perdiccas. Séleucos, dont nous venons de parler, fut le troisième.

Diodore de Sicile, XVIII – 3. 1-4

Les derniers plans d'Alexandre – retrouvés dans ses archives après sa mort – sont considérés comme irréalisables.

On avait transmis à Perdiccas les dossiers du roi, prévoyant l'achèvement du bûcher d'Héphaistion, qui réclamait beaucoup d'argent, ainsi que d'autres entreprises, nombreuses, vastes et impliquant des dépenses démesurées. Il décida qu'il fallait les annuler. Mais, pour ne pas endosser la responsabilité d'avoir, par une décision personnelle, causé quelque préjudice à la gloire d'Alexandre, il renvoya l'affaire devant l'Assemblée générale des Macédoniens.

Voici les plus importants des projets figurant dans ce mémorandum, qui méritent d'être mentionnés. En Phénicie, en Syrie, en Cilicie et à Chypre, on mettrait en chantier mille navires de guerre d'un tonnage supérieur à celui des trières, en vue de l'expédition contre les Carthaginois et les autres peuples habitant le littoral de l'Afrique et de l'Ibérie ainsi que les régions côtières qui s'étendent des frontières de celle-ci jusqu'en Sicile. On ouvrirait d'autre part une route longeant le littoral africain jusqu'aux Colonnes d'Héraclès. Conséquence de cette grande expédition maritime : on construirait des ports et des arsenaux aux emplacements appropriés ; on édifierait aussi six temples somptueux coûtant chacun mille cinq cents talents. En outre, on procéderait à des groupements de cités et à des transferts de population d'Asie en Europe et, inversement, d'Europe en Asie : les mariages de peuple à peuple et l'habitude de vivre côte à côte permettraient d'établir entre les deux plus grands continents la concorde générale et les liens d'affection qu'engendre la communauté du sang. Les temples dont nous venons de parler devaient être édifiés à Délos, Delphes et Dodone, ainsi qu'en Macédoine : un à Dion, consacré à Zeus ; un autre à Amphipolis, consacré à Artémis Tauropole ; un autre à Kyrrhos, consacré à Athéna. A Ilion également il construirait en l'honneur de cette déesse un temple tel que l'on ne pourrait jamais faire mieux. Il construirait d'autre part pour son père Philippe un tombeau pareil à la plus grande des pyramides d'Égypte, que certains comptent parmi les sept plus grandes réalisations. Quand on eut donné lecture de ces notes, les Macédoniens, tout en approuvant Alexandre, reconnurent qu'il s'agissait là d'entreprises démesurées et difficiles à réaliser : ils décidèrent de n'en mettre aucune à exécution.

Diodore de Sicile, XVIII – 4. 2-6

De nombreux dangers guettent les successeurs d'Alexandre. Les colons grecs installés en Bactriane manifestent leur volonté de revoir les rivages méditerranéens.

En Europe, les principales cités grecques, regroupées autour d'Athènes, tentent de leur côté de s'affranchir de la domination macédonienne. Mais, le danger le plus redoutable pour l'unité de l'Empire vient des désaccords persistants entre les principaux chefs. La dispute entre Perdiccas et Ptolémée autour de la dépouille d'Alexandre en est une vivante illustration. Le corps du roi avait été embaumé à Babylone.

Depuis six jours, le corps d'Alexandre gisait dans son sarcophage ; le souci universel de constituer le régime politique avait détourné les esprits d'un devoir si solennel. Nulle part ne règne de chaleur plus ardente qu'en Mésopotamie : à tel point que la plupart des êtres vivants, qu'elle surprend en rase campagne, périssent, tant l'ardeur du soleil et du ciel consume tout comme le feu. Les sources sont rares et, en même temps, la ruse des habitants les tient cachées : ils ont toute latitude de s'en servir, mais les étrangers les ignorent. Je reproduis une tradition plutôt qu'une conviction : quand enfin les Amis eurent le temps de s'occuper du corps, ceux qui entrèrent le virent intact, sans aucune décomposition, sans même la moindre lividité. Cette fraîcheur, qui résulte du souffle vital, n'avait pas encore abandonné ses traits. Aussi les

Égyptiens et les Chaldéens, chargés d'embaumer le corps selon l'habitude de chez eux, n'osèrent-ils d'abord approcher leurs mains de ce mort qui semblait respirer. Ensuite, après avoir prié que le ciel et les hommes permissent à des mortels de toucher un dieu, ils nettoyèrent le corps ; le sarcophage d'or fut rempli de parfums, et sur la tête d'Alexandre l'on déposa les insignes de sa fortune.

Quinte-Curce, X – 10. 9-13

Puis, un lieutenant de Perdiccas, du nom d'Arrhidée, avait été chargé de convoyer en Macédoine le somptueux char funèbre. Ptolémée réussit à circonvenir Arrhidée et à faire inhumer le conquérant en Égypte.

Après avoir consacré presque deux ans à la construction de cet ouvrage, Arrhidaios transporta la dépouille

royale de Babylone en Égypte. Voulant rendre hommage à Alexandre, Ptolémée s'avança à sa rencontre jusqu'en Syrie avec une armée. Quand

Quelques jours après sa mort, Alexandre fut embaumé par des spécialistes babyloniens et égyptiens. Le nouvel homme fort, Perdiccas, projetait de le faire inhumer dans la nécropole royale macédonienne d'Aigai. La dépouille devait être convoyée dans un char construit à Babylone (ci-dessus, à droite, détail).

on lui eut remis le corps, il jugea bon de lui témoigner les plus grandes marques de considération. Il décida en effet de ne pas le transporter présentement dans l'oasis d'Ammon, mais de le déposer dans la ville qu'Alexandre avait fondée, – la plus célèbre ou peu s'en faut des villes de la terre. Il fit donc élever un sanctuaire qui, par ses dimensions et sa construction, est digne de la gloire d'Alexandre. Il l'y ensevelit et institua en son honneur des sacrifices héroïques et de magnifiques jeux, ce dont il fut bien récompensé tant par les hommes que par les dieux. En effet, comme il était d'un caractère agréable et généreux, les hommes accouraient de partout à Alexandrie et offraient de bon cœur leurs services pour la prochaine campagne, bien que ce fût l'armée royale qui s'apprêtât à faire la guerre à Ptolémée. Malgré l'évidente gravité du péril, tous cependant assurèrent volontiers son salut au prix des dangers auxquels eux-mêmes s'exposèrent. Les dieux de leur côté le sauvèrent miraculeusement des plus graves dangers en raison de sa valeur et de son amabilité envers tous ses amis.

Diodore de Sicile, XVIII – 38. 2-6

Alexandre, fils de Philippe et d'Olympias, étant mort à Babylone, le corps de ce prince, qui se disait fils de Jupiter, demeurait étendu, pendant que ses généraux se disputaient la possession de ses états : on ne lui rendait pas même les honneurs de la sépulture qu'on accorde aux plus vils mortels, et dont la nature nous fait un devoir pour tous les morts. Trente jours s'étaient écoulés sans qu'on eût songé aux funérailles d'Alexandre, lorsqu'Aristandre de Telmisse, soit par l'inspiration d'une divinité, soit par quelque autre motif, s'avança au milieu des Macédoniens, et leur dit que les dieux lui avaient révélé qu'Alexandre ayant été pendant sa vie et après sa mort le plus heureux des rois qui eussent existé, la terre qui recevrait le corps où avait habité son âme serait parfaitement heureuse, et n'aurait jamais à craindre d'être dévastée. Ce discours fit naître de nouveaux débats, chacun désirant d'emporter dans son royaume et de posséder un trésor qui était le gage d'une puissance solide et durable. Ptolémée, s'il en faut croire quelques historiens, ayant enlevé secrètement le corps d'Alexandre, se hâta de le faire transporter en Egypte ; dans la ville que ce prince avait décorée de son nom. Les Macédoniens virent cet enlèvement d'un œil tranquille : mais Perdiccas se mit aussitôt à la poursuite du ravisseur, moins excité par son attachement à la mémoire d'Alexandre, et par un respect religieux pour son corps, qu'échauffé par la prédiction d'Aristandre. Lorsque Perdiccas eut atteint Ptolémée, ils se livrèrent, pour le cadavre, un combat sanglant, semblable, en quelque façon, à celui que Troie vit jadis sous ses murs pour le simulacre d'Enée ; simulacre chanté par Homère, qui dit qu'Apollon l'avait envoyé, à la place d'Enée, au milieu des héros. Ptolémée, après avoir repoussé Perdiccas, fit faire un simulacre qui représentait Alexandre, le revêtit des habits royaux, et l'entoura des ornements funèbres les plus précieux ; puis le plaça sur un chariot persique, dans un magnifique cercueil enrichi d'or, d'argent, et d'ivoire. En même temps, il envoya le véritable corps, sans pompe et sans éclat, par des routes secrètes et peu fréquentées. Lorsque Perdiccas se fut rendu maître de la représentation d'Alexandre et du chariot qui la portait, il crut avoir en son pouvoir le prix du combat : dès lors il cessa toute poursuite, et ne s'aperçut qu'il avait été trompé, que quand il ne fut plus possible d'atteindre Ptolémée.

Elien, *Histoires variées*, XII – 64

Les dispositions prises un peu plus tard par Eumène, l'archiviste d'Alexandre, témoignent de la volonté de chacun de se parer du prestige du roi défunt.

Eumène, qui même alors avait ces vérités présentes à l'esprit, consolida sagement sa position, car il prévoyait la prochaine révolution de la Fortune. Voyant en effet que lui-même n'était qu'un étranger, sans aucun lien avec le trône, tandis que les Macédoniens que l'on plaçait sous ses ordres l'avaient par le passé condamné à mort, et que ceux qui exerçaient en permanence le commandement des troupes étaient des hommes pleins d'orgueil et désireux d'entreprendre de grandes actions, il comprit qu'il serait sous peu l'objet tout à la fois du mépris et de l'envie, et que pour finir il risquerait sa vie : personne n'exécuterait en effet de bon gré les ordres donnés par des gens qui passaient pour des inférieurs ni ne supporterait d'être traité en maître par ceux qui devaient être subordonnés à d'autres. Ayant pris conscience de tout cela, il commença par déclarer « qu'il n'accepterait pas les cinq cents talents qu'on voulait lui remettre, conformément à la lettre royale, pour restaurer sa fortune et son train de maison. Il n'avait pas besoin d'un don si considérable, attendu qu'il ne désirait obtenir aucune sorte de commandement. De fait, dans les circonstances présentes, ce n'était pas de son plein gré qu'il avait obéi à cette requête, mais les rois l'avaient contraint d'accepter un tel office. Pour tout dire en effet, en raison des campagnes incessantes auxquelles il avait pris part, il ne pouvait plus supporter les épreuves d'une vie errante, d'autant qu'il n'y avait aucune charge à attendre pour un étranger et un homme exclu des prérogatives nationales des Macédoniens ». Il déclara d'autre part qu'ayant eu pendant son sommeil une vision extraordinaire, il estimait nécessaire de la révéler à tous : il lui semblait en effet qu'elle contribuerait largement à la concorde et à l'intérêt général. Il avait cru voir, pendant son sommeil, le roi Alexandre vivant, revêtu des attributs royaux, en train de régler les affaires, de donner ses ordres aux chefs militaires et d'accomplir activement tous les actes du gouvernement royal. « C'est pourquoi il fallait, à son avis, fabriquer un trône d'or aux frais du Trésor royal ; on y déposerait le diadème, le sceptre, la couronne et autres attributs. Au lever du jour, tous les généraux feraient brûler de l'encens en l'honneur d'Alexandre et tiendraient conseil à proximité du trône, prenant les ordres au nom du roi, comme s'il était vivant et à la tête de son royaume. »

Ses paroles ayant rencontré l'approbation générale, on eut vite préparé ce qu'il fallait : le Trésor royal regorgeait d'or. Dès qu'une tente magnifique eut été confectionnée, on y disposa le trône avec le diadème et le sceptre, ainsi que les armes dont Alexandre avait coutume de se servir. Comme on avait installé un brasero avec du feu, tous les chefs militaires, puisant dans un coffret d'or, faisaient brûler les aromates les plus précieux, encens et autres, et révéraient Alexandre comme un dieu. En accord avec ce cérémonial, on avait disposé de nombreux sièges où prenaient place des titulaires de commandements militaires : tenant conseil, ils délibéraient sur les questions urgentes qui venaient successivement à se présenter. Quant à Eumène, il se déclarait dans toutes les affaires traitées l'égal des autres chefs et se rendait populaire auprès de tous par l'extrême amabilité de son abord, dissipant ainsi l'envie qu'on lui portait et suscitant parmi les chefs militaires des sentiments très favorables à son égard. Dans le même temps, la piété superstitieuse envers le roi s'affermissait et tous étaient remplis de beaux espoirs, comme si quelque dieu était à leur tête. Suivant d'ailleurs une politique similaire à l'égard des « Boucliers d'Argent » macédoniens, Eumène était très bien vu d'eux, et ils le jugeaient digne de gérer les intérêts des rois.

Diodore de Sicile, XVIII – 60-61

La tourmente des guerres intestines n'épargne pas les membres de la famille royale. Les deux rois reconnus à Babylone – Philippe III et le jeune Alexandre IV – sont les plus menacés. Le premier est assassiné en 317 par Olympias, la mère d'Alexandre, qui est elle-même tuée l'année suivante à l'initiative de Cassandre, le maître de la Macédoine :

Comme Olympias déclarait fermement qu'elle ne fuirait pas, mais qu'elle était prête au contraire à comparaître devant tous les Macédoniens, Cassandre, craignant que la foule des Macédoniens, si elle entendait la reine se défendre et se rappelait les bienfaits d'Alexandre et de Philippe envers tout le peuple, ne

Après la mort d'Alexandre, comme au temps de Philippe II, Olympias chercha à jouer un rôle politique. L'image ci-dessus rappelle sa brouille, son exil, puis sa réconciliation avec Philippe, grâce à l'entremise d'Alexandre. A nouveau exilée en Epire après 323, elle revint en Macédoine en 317 prendre la tutelle de son petit-fils Alexandre IV, et fit disparaître le roi Philippe III. Elle fut elle-même assassinée par Cassandre, nouveau maître de la Macédoine.

changeât d'avis, envoya chez elle deux cents soldats, les plus appropriés pour cette mission, avec ordre de la tuer au plus vite. Ils firent donc irruption dans la maison de la reine, mais, en présence d'Olympias, ils furent intimidés par son haut rang et se retirèrent sans avoir rien fait. Mais, les parents de ses victimes, désireux à la fois de plaire à Cassandre et de venger leurs morts, assassinèrent la reine, qui ne laissa échapper aucune prière indigne et trahissant son sexe. C'est donc ainsi qu'Olympias, qui avait surpassé par son prestige toutes les personnes de son temps, qui était la fille de Néoptolèmme, le roi des Epirotes, la sœur d'Alexandre qui fit campagne en Italie, la femme de Philippe qui dépassa en puissance ceux qui avaient régné avant lui en Europe et la mère d'Alexandre qui accomplit les plus nombreux et les plus beaux exploits, en termina avec la vie.

Diodore de Sicile, XIX – 51. 4-6

Quelques années plus tard, en 311, Cassandre dirigea ses coups contre le fils d'Alexandre et de Roxane :

Cassandre, voyant qu'Alexandre, fils de Roxane, grandissait et que certains répandaient en Macédoine des propos selon lesquels il fallait libérer l'enfant et lui remettre le royaume de son père, prit peur et ordonna à Glaucias, le chef de ceux qui gardaient l'enfant, d'assassiner Roxane et le roi et de cacher leurs corps, sans en souffler mot à aucun des autres. L'ordre exécuté, Cassandre, Lysimaque, Ptolémée et Antigone furent débarrassée des craintes que le roi leur inspirait pour l'avenir. Puisqu'il n'y avait plus d'héritier au trône, désormais chacun pouvait envisager de devenir roi des

peuples et des cités qu'il dominait et le territoire placé sous leur autorité était pour eux comme un royaume conquis par la lance.

Diodore de Sicile, XIX – 105. 2-4

De 321 à 301, Antigone le Borgne, l'un des plus vieux compagnons de Philippe II, chercha à reconstituer à son profit l'empire d'Alexandre. On a cru pouvoir l'identifier sous les traits d'un cavalier macédonien dans l'une des scènes de guerre du sarcophage de Sidon. Il fut le premier à prendre le titre de roi, en 306, avant de disparaître en 301, face à ses rivaux coalisés.

Moins de vingt ans après la mort d'Alexandre, en 306, l'un des diadoques, Antigone le Borgne, prend le titre de roi, exemple suivi immédiatement par ses principaux rivaux. Cette « année des rois » marque la fin de la fiction de l'unité de l'Empire.

Cette victoire si belle et si brillante [à Chypre], Démétrios la rehaussa encore par sa clémence et son humanité : il fit aux morts des ennemis de magnifiques obsèques et relâcha les prisonniers ; il préleva sur le butin douze cents armures complètes et en fit présent aux Athéniens. Pour porter à son père la nouvelle de la victoire, il envoya Aristodémos de Milet, le plus expert de tous les courtisans dans l'art de la flatterie et qui s'était alors préparé, semble-t-il, à couronner l'événement par un chef-d'œuvre de flagornerie. Quand il arriva de Chypre, il ne laissa pas aborder le navire, mais ordonna de jeter l'ancre et enjoignit à tout le monde de rester à bord sans bouger ; lui-même se mit dans la chaloupe, débarqua seul et monta vers Antigone, que l'attente de nouvelles au sujet de la bataille tenait en suspens, dans cette disposition d'esprit où l'on se trouve naturellement quand on est préoccupé par de si graves affaires. Antigone, apprenant alors l'approche d'Aristodémos, fut encore plus troublé qu'auparavant et, ayant peine à rester chez lui, il envoya coup sur coup à plusieurs reprises des serviteurs et des amis demander à Aristodémos ce qui était arrivé. Mais le messager ne répondit rien à personne et poursuivit son chemin à pas lents, le visage compassé, dans un silence absolu. Antigone, tout à fait bouleversé et n'y tenant plus, vint à sa rencontre à la porte du palais, vers lequel une foule nombreuse était déjà accourue et accompagnait Aristodémos. Celui-ci, lorsqu'il fut près du souverain, étendit la main droite et cria d'une voix forte : « Salut, roi Antigone, nous avons vaincu Ptolémée en bataille navale ; nous tenons Chypre et seize mille huit cents soldats prisonniers. » « Salut à toi aussi, par Zeus, répondit Antigone, mais tu seras puni de nous avoir ainsi mis à la torture : tu attendras pour recevoir la récompense de cette bonne nouvelle. »

Démétrios, fils d'Antigone, reçut de son père le titre royal en 306. Fameux pour son art des sièges, il fut surnommé Poliorcète, le preneur de villes. En 294, il s'empara de la Macédoine, fondant ainsi la dynastie des Antigonides qui régna sur le pays jusqu'à la conquête romaine.

C'est alors pour la première fois que la foule salua à grands cris Antigone et Démétrios du titre de rois, et sans tarder les amis d'Antigone lui couronnèrent la tête, puis lui-même envoya un diadème à son fils en lui écrivant une lettre où il l'appelait roi. Apprenant cette nouvelle, les gens d'Égypte, eux aussi, proclamèrent roi Ptolémée, car ils ne voulaient pas paraître abaisser leur fierté à cause de la défaite subie. La jalousie eut pour effet l'extension de cette innovation aux autres diadoques : Lysimaque se mit à porter un diadème, et Séleucos fit de même en donnant audience aux Grecs, alors qu'auparavant il ne se faisait appeler roi que dans ses rapports avec les barbares. Cassandre seul, quoiqu'il fût salué par les autres du nom royal dans leurs lettres et de vive voix, conserva dans sa correspondance les mêmes formules dont il usait autrefois. Cette appellation nouvelle ne signifia pas seulement pour ces personnages un accroissement de titres et un changement vestimentaire ; elle accrut aussi leur fierté et exalta leur esprit, mettant dans leur manière de vivre et leurs rapports avec autrui une gravité et une majesté pareilles à celles des acteurs tragiques, qui, en prenant leur costume de théâtre, changent aussi leur démarche, leur voix, leur maintien et leur langage. Elle renforça aussi la violence de leurs prétentions et fit disparaître cet effacement volontaire de leur puissance qui auparavant les rendait, à beaucoup d'égards, plus supportables et plus doux envers leurs sujets. Si grand fut l'effet d'un seul mot prononcé par un flatteur, et qui produisit dans le monde entier un tel changement !

Plutarque, *Démétrios*, 17-18

Vergina : tombe de Philippe II ou de Philippe III ?

Depuis la première identification proposée par l'archéologue grec Manolis Andronikos, l'identité des personnages inhumés dans les trois tombes (I, II, III) de Vergina suscite des interprétations contradictoires, dues notamment aux incertitudes sur les datations des céramiques, des ossements et des formes architecturales.

La reconstruction qui paraît le mieux correspondre à la documentation aujourd'hui disponible est la suivante. En 370, Alexandre Ier construisit la Tombe I destinée à recevoir les restes d'Amyntas III, le premier membre de sa lignée qui devint roi depuis Alexandre Ier ; pour cette raison, Alexandre II choisit un site distinct des tombes des premiers rois. Près de la tombe, il éleva un sanctuaire, peut-être appelé l'Amyntaeum comme à Pydna, et le culte d'Amyntas divinisé y fut pratiqué. Nous ne savons pas pour le moment si Amyntas fut incinéré ; la présence de « nombreux ossements » mentionnée dans le rapport suggère peut-être qu'il ne fut pas incinéré et que d'autres personnages furent inhumés là ultérieurement.

En 336, après l'assassinat de Philippe II, Alexandre III passa plusieurs semaines à régler les affaires en Macédoine et à enquêter sur les circonstances de l'assassinat. Pendant ce temps, quelques progrès furent faits dans la construction d'une tombe pour Philippe, pour laquelle Alexandre avait fait des plans sur une échelle qu'aucune autre tombe construite ultérieurement en Macédoine n'égala. Le procès eut lieu et les coupables furent désignés. Alors, « Alexandre prit tout le soin possible des funérailles de son père » (Diodore, XVII, 2, 1), en disposant dans la tombe des offrandes qui étaient superbes et en quantité et en qualité. La chambre royale fut fermée avant le complet achèvement de l'intérieur, parce qu'Alexandre devait en toute hâte régler les affaires grecques. Son lieutenant surveilla l'achèvement de l'antichambre, le dépôt des restes de la reine et l'adjonction de nombreuses offrandes. La lance et les chevaux de l'assassin et de deux « conspirateurs » furent incinérés sur le bûcher, et le fer, le bronze, l'ivoire et les morceaux d'or furent déposés dans une auge de briques au-dessus de la voûte.

Et, sur la corniche, où le corps de l'assassin avait été pendu puis brûlé, un petit feu de purification fut allumé. Alexandre choisit de placer cette tombe près de la Tombe I, de telle façon que le culte rendu à Philippe divinisé puisse être pratiqué dans le sanctuaire. Les Tombes I et II, qui chacune avait son propre petit tumulus qui formait éminence au-dessus du niveau du sol, furent alors couvertes par un grand tumulus de terre rouge. [...]

En 321, quand le corps d'Alexandre III fut détourné de la route de l'Égypte, les Macédoniens placèrent probablement des trophées de Perse et des statues d'Alexandre et de ses principaux lieutenants dans une *stoa* (portique) construite près du tumulus de terre rouge. En 316, quand Arrhidée (Philippe III), Eurydikè et Kynna furent tués, Cassandre ensevelit leurs dépouilles dans une tombe située en dehors de la périphérie du grand tumulus. En 310, quand le dernier mâle de la lignée, Alexandre IV, mourut, il fut enseveli dans une tombe placée à l'intérieur du cercle du tumulus de terre rouge. Après 336 et avant 310, les corps des deux hommes, non incinérés, et deux pierres tombales furent placés à la partie supérieure de ce tumulus ; cela avait été certainement leur désir d'être associé à la dynastie d'Amyntas.

Après 310, le culte cessa dans la partie brûlée du sanctuaire. Alors ou ultérieurement (point qui ne peut être réglé que par l'achèvement de la fouille), une grande motte, comparable à celle qu'Alexandre avait projetée pour commémorer le souvenir de Philippe, fut élevée, peut-être pour commémorer la dynastie qui venait de s'éteindre, c'est-à-dire celle qui constituait la branche d'Amyntas de la famille des Téménides.

N. G. L. Hammond, « The Evidence for the Identity of the Royal Tombs in Vergina », in *Philipp II, Alexander the Great and the Macedonian Heritage*

Dans une réflexion sur la méthode, l'historien P. Green souligne la prudence avec laquelle les archéologues doivent livrer leurs hypothèses.

Il faut absolument conserver un caractère provisoire à tout jugement concernant les identités des personnages ensevelis dans les trois tombes qui ont jusqu'à maintenant (septembre 1981) été fouillées à Vergina. En fait, sans documentation nouvelle décisive on peut même douter qu'on puisse jamais lever les doutes. Pour le moment, nous n'avons pas d'évaluation externe indépendante pour deux groupes cruciaux de matériels : les ossements et la poterie... On nous demande de construire des hypothèses sur une documentation largement imprécise... En l'absence d'un rapport de fouilles final et d'une confirmation technique externe, l'historien doit se garder de fonder trop catégoriquement une hypothèse sur une documentation problématique de cette sorte... Très tôt, de plus, il est devenu clair que Philippe II était un candidat évident – en fait le candidat préféré – pour identifier l'occupant de la Tombe II ; pour différentes raisons, cette possibilité apparut si considérablement tentante qu'en effet une grande partie du travail a consisté en une recherche *a priori* d'une documentation qui confirme cette pétition de principe... Même si l'hypothèse Philippe II est sur certains points plus forte que l'hypothèse Philippe III, elle ne peut pas, pour le moment, être considérée comme prouvée... On peut simplement espérer que si, par une sorte de miracle, un texte épigraphique apparaît et mentionne Philippe, il ne laisse aucun doute sur l'identité du Philippe en question.

P. Green, « The Royal Tombs of Vergina : a Historical Analysis », *ibid.*

Archéologie et politique

Dès le départ, les découvertes en 1977 des « tombes royales » de Vergina ont été utilisées dans le débat idéologique et polémique sur l'« hellénisme » des Macédoniens anciens. Dans une période plus récente (1991-1992), l'éclatement de la Yougoslavie et la naissance subséquente d'une république de Macédoine (reconnue sous ce nom par les États-Unis en novembre 2004) ont fait resurgir les polémiques avec la Grèce, y compris par le biais d'Internet.

Polémique autour du film *Alexandre* d'Oliver Stone

Au site web de la Pan-Macedonian Association *répond le site de « l'autre Macédoine » (www.maknews.com), sur lequel on peut voir affiché le texte des démarches faites par les uns et par les autres auprès du réalisateur Oliver Stone, les seconds plaidant pour faire reconnaître l'identité « slave » d'Alexandre ! L'ensemble du dossier a été publié en anglais sur Internet en février 2004 par M. A. Koloski, sous un titre violemment provocant : « Des extrémistes grecs font pression sur Oliver Stone pour que son Alexandre de Macédoine soit grec ». Voici la lettre envoyée par l'auteur aux membres de son association slave-macédonienne :*

Chers Macédoniens et amis,

Un groupe de racistes grecs se faisant appeler l'Association pan-macédonienne continue de répandre de fausses informations sur le peuple macédonien et sur son histoire. Ce groupuscule fait pression sur Oliver Stone, le réalisateur du film sur Alexandre, exigeant qu'il représente Alexandre sous les traits d'un Grec.

Soyons clairs. Les Macédoniens ne sont PAS grecs, et n'étaient pas considérés comme tels par les Grecs de l'Antiquité. Alexandre est issu d'une longue lignée de monarques macédoniens et son royaume était situé au nord des cités grecques.

J'exhorte tous les Macédoniens à écrire à M. Stone et à son équipe pour leur exposer notre version des faits.

C'est Oliver Stone qui décidera de la façon dont sera représenté Alexandre, et j'ai la conviction qu'il prendra sa décision en toute honnêteté et en pleine connaissance de cause.

Merci,

(signature : Meto Koloski)

Suivent les coordonnées du réalisateur et des producteurs, puis la citation d'une lettre, qualifiée de « propagande », envoyée à Oliver Stone par l'Association pan-macédonienne (grecque) :

Cher M. Stone,

En tant que Macédoniens, nous portons le plus vif intérêt à votre film sur Alexandre le Grand. Nul être humain ayant foulé le sol de notre planète de l'Antiquité à nos jours n'a eu une influence comparable à celle de ce personnage historique hors du commun. Il est donc immensément important que votre film sur Alexandre respecte la réalité historique.

Vous n'ignorez pas qu'il y a une soixantaine d'années, pendant la guerre froide, Tito et Staline ont tenté de falsifier les origines d'Alexandre le Grand et des Macédoniens à de sournoises fins politiques en prétendant qu'ils n'étaient pas grecs. A une écrasante majorité, le monde scientifique a toutefois dénoncé cette supercherie. Le caractère grec d'Alexandre et des Macédoniens est littéralement gravé dans la pierre, et prouvé par d'innombrables manuscrits vieux de plus de 2500 ans.

Thucydide déclare que l'arrière-grand-père d'Alexandre le Grand, le roi Alexandre Ier, ainsi que son père, Philippe II, participèrent aux Jeux Olympiques où seuls étaient conviés des athlètes grecs.

L'historien Arrien, dans son ouvrage *Alexandrou Anabasis* (« Expéditions d'Alexandre ») écrit : « Aussi me semble-t-il impossible qu'un homme [Alexandre] si au-dessus de l'humanité ait vu le jour sans intervention divine. »

Plutarque, dans son Œuvre Morale « La Fortune ou la Vertu d'Alexandre », déclare : « Sans soleil sont les parties du monde qui n'ont pas connu Alexandre. » Ailleurs dans le même ouvrage, il dit : « A ses propos, à ses actes, à ses enseignements, on verra qu'Alexandre était un philosophe. »

M. Stone, en réalisant ce film sur la vie d'Alexandre le Grand, songez s'il vous plaît aux citations de ces historiens et philosophes célèbres et respectés. De plus, comme l'ancien président Clinton l'a écrit, le poids de la suprématie américaine à l'échelle de la planète est tel que les scénarios tournés à Hollywood doivent être choisis avec soin. Il ne faut pas ignorer la splendeur d'Alexandre ni le fait qu'il fut un homme à sa naissance, un surhomme au cours de sa vie, et un dieu à sa mort. Les exploits et les entreprises d'Alexandre ont contribué au développement des sociétés futures.

Falsifier et rabaisser la personnalité et le rang d'un héros de l'Histoire par intérêt politique ou matériel et dans le but de nier les conséquences bénéfiques de ses actions constitue non seulement un affront à tout être humain civilisé, mais un crime envers l'humanité tout entière. Cependant, les manœuvres de ceux qui manipulent les faits historiques et rapportent des affirmations dénuées de fondement pour dénigrer Alexandre le Grand et ternir sa mémoire n'affecteront jamais sa magnificence et sa place dans l'Histoire.

En conclusion, nous sommes persuadés que votre film sur Alexandre le Grand le représentera comme un personnage exemplaire qui diffusa les idéaux de l'Hellénisme dans le monde entier.

Dans l'attente de votre réponse, avec nos meilleurs sentiments,

(signatures des dirigeants de l'Association pan-macédonienne)

Traduction Yves Tixier

Le dossier est accessible à http://www.maknews.com/html/articles/koloski/koloski6.html.

L'histoire d'Alexandre et la conscience européenne

Comme le montre encore tout récemment la reprise (ou la poursuite) de la polémique entre Skopjé et Thessalonique à propos du film *Alexandre* d'Oliver Stone, il n'est guère d'autre homme célèbre de l'Antiquité dont l'étude ait été plus influencée par des préoccupations de politique contemporaine. Insérée très tôt dans l'histoire de la civilisation européenne et des rapports qu'elle a entretenus avec les civilisations «périphériques», la conquête macédonienne a traditionnellement constitué un chapitre obligé de l'histoire de la colonisation et de l'histoire de la géographie et des explorations, et, partant, soit une préfiguration des conquêtes militaires injustes et sanglantes, soit un modèle et un précédent du mouvement colonial européen, ou encore un contre-exemple utilisé pour dénoncer des génocides contemporains. Les images qui restent dominantes aujourd'hui dans les publications savantes et chez le grand public sont liées à l'histoire européenne, à ses moments de puissance et à ses périodes de crise.

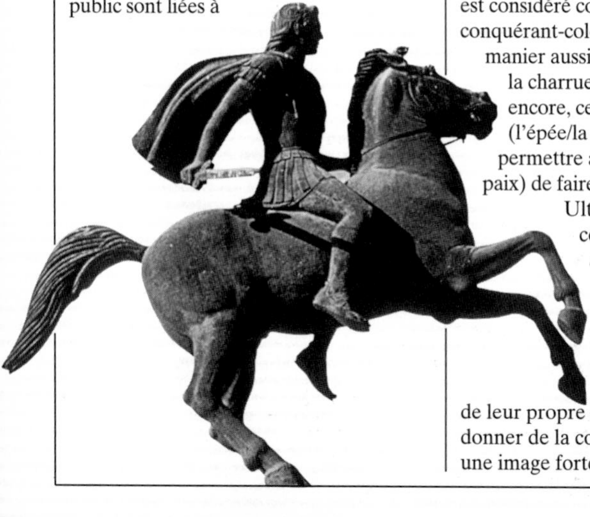

Dénoncé, dans une première étape (Bossuet[1], Rollin[2]), pour avoir conduit en «brigand» des expéditions brutales contre des peuples fiers et indépendants, Alexandre fut longtemps perçu ultérieurement avec admiration comme le premier chef européen à avoir conquis les pays du Moyen-Orient. Entremêlés intimement à la vision «orientaliste» (au sens dégagé par Edward Saïd[3]), ce sont les impératifs politiques et idéologiques des conquêtes coloniales européennes qui expliquent l'importance centrale du thème «Alexandre grand économiste», et/ou «Alexandre rénovateur d'une Asie immobile ou stagnante». Dans les diverses présentations qui sont données de la conquête macédonienne, l'on voit bien qu'il est essentiel d'insister ou sur «les travaux de la guerre» (chez ceux qui condamnent Alexandre), ou sur «les travaux de la paix» (chez ceux qui veulent souligner l'aspect bénéfique de l'entreprise). De telles considérations doivent être analysées au regard de ce qui est considéré comme le modèle idéal du conquérant-colonisateur – celui qui sait manier aussi bien l'épée que la charrue, ou, plus exactement encore, celui qui n'utilise la force (l'épée/la conquête) que pour permettre au paysan (la charrue/la paix) de faire surgir de belles moissons.

Ultérieurement le conquérant macédonien a vu son étoile pâlir avec la décolonisation : les nouvelles revendications identitaires et nationales (le droit des peuples à disposer d'eux-mêmes et de leur propre histoire) ont contribué à donner de la conquête macédonienne une image fortement dépréciative.

Si bien que, sous un paradoxe apparent, l'image est restée négative, entre ceux qui, tels Niebuhr[4] et Grote[5], dénonçaient l'impérialisme napoléonien mais qui aussi méprisaient l'« Orient », ses valeurs et son histoire, et ceux qui, dans les années plus récentes, ont adopté le point de vue des anciens pays colonisés, hérauts/héros de la lutte anti-impérialiste. Pour les uns comme pour les autres, les résultats positifs de la conquête macédonienne sont dérisoires : les guerres et batailles sanglantes ont bien plutôt causé la désolation aussi bien dans les pays conquis qu'en Grèce et en Macédoine.

Dans le même temps, même si le travail (nécessaire) de démythification l'a pratiquement bannie des travaux spécialisés, l'image du grand héros civilisateur n'a pas totalement disparu de l'inconscient collectif, loin de là. La raison en est que, comme dans toutes les périodes de doute et d'interrogation sur l'avenir de l'Europe, l'histoire victorieuse d'Alexandre reste plus ou moins ouvertement associée à l'image de la supériorité de la civilisation occidentale. À en juger par la fréquence d'un titre de chapitre tel que « Alexandre et la croisade hellénique », certains sont même sans doute prêts à partager l'opinion qu'exprimait E. W. Freeman[6] en 1873 : « En sa qualité de champion de l'Ouest contre l'Est, Alexandre annonce la supériorité future de la Croix contre le Croissant ».

Pierre Briant, « "Alexandre et l'hellénisation de l'Asie" : l'histoire au passé et au présent », *Studi Ellenistici* (Pise) XVI, 2004, pp. 9-69

1. Jacques Bénigne Bossuet, historien chrétien, *Discours sur l'Histoire universelle*, 1681.
2. Charles Rollin, historien français, *Histoire ancienne*, premier tiers du XVIIIe siècle.
3. Edward Saïd, historien américain, *L'Orientalisme*, 1980, trad. fr. revue, Le Seuil, 1997.
4. Barthold Georg Niebuhr, historien allemand, *Lectures on Ancient History*, trad. angl. 1852.
5. George Grote, historien britannique, auteur d'une *Histoire de la Grèce*, 1851, trad. fr. 1866.
6. E. W. Freeman, historien britannique, auteur d'essais critiques sur Alexandre au XIXe siècle.

Monument à la gloire d'Alexandre, Thessalonique (1974), composé d'une statue équestre (page de gauche) et d'un relief censé représenter la bataille d'Issos (ci-dessus, détail).

Nouveaux horizons sur l'histoire d'Alexandre

La pénurie de documentation de première main handicape les recherches sur Alexandre. Souvent biaisées, les sources narratives gréco-romaines restent très insuffisantes, et, mis à part les documents numismatiques, la découverte de nouvelles sources est rare. Mais, le renouvellement profond et presque parallèle de l'histoire de l'Empire achéménide et de l'histoire de la Macédoine se fonde sur une documentation de plus en plus abondante, qui vient parfois croiser et enrichir l'histoire d'Alexandre.

La bataille de Gaugamèles et ses suites d'après une tablette babylonienne

Malgré les lacunes dues aux détériorations du support d'argile, une tablette babylonienne a apporté des renseignements fort intéressants, d'autant qu'on peut les éclairer par les récits grecs et romains. Il s'agit d'une tablette astronomique, sur laquelle les spécialistes babyloniens consignaient jour après jour les résultats de leurs observations, accompagnées parfois de références à des événements contemporains. Le contenu de cette tablette est un peu spécial, puisque les observations ont été enregistrées sur plus d'un mois, entre la mi-septembre et les derniers jours d'octobre 331.

De nombreux présages négatifs ou inquiétants sont mentionnés :
Le 13 du mois d'Ulul [20 septembre 331], il y eut une éclipse de lune totale… Dans la nuit du 18 [25 septembre], il y eut une pluie de feu dans le quartier de…, en face du temple de Nabu, le feu consuma un chien. Dans la première partie de la nuit du 19, il y eut une pluie de feu…

Le texte évoque ensuite l'atmosphère d'angoisse dans le camp du Grand Roi, posé près de Gaugamèles, et la défaite perse (précisément datée désormais du 1er octobre) :
Dans ce mois [18 septembre], la peur se propagea dans le camp du roi [Darius]…

Le satrape Mazday, troisième à partir de la gauche, accueillant Alexandre (à cheval) à Babylone.

Les Macédoniens plantèrent leur camp face au roi.
Le 24 au matin [1er octobre], le roi de la totalité… l'étendard… ils combattirent l'un contre l'autre et ce fut une grande défaite pour l'armée…

*Puis c'est la fuite du roi et de ses soldats, évoquée sous des termes qui rappellent clairement les précisions données par Arrien (« Darius poussa directement de la bataille en Médie, en passant par les monts d'Arménie » [*Anabase, *III, 15.1]) :*
Ses soldats abandonnèrent le roi [Darius] et [retournèrent] dans leur cité. [Le roi et les siens] s'enfuirent dans la région de Guti.

La suite du texte concerne à la fois les répercussions de la bataille à Babylone, et les négociations ouvertes entre Alexandre et les élites babyloniennes :
[Dans le] septième mois…
pour un sicle d'a[rgent…]
ce mois-ci, depuis le premier jour au […]
vint à Babylone, disant : « Esangila […] »
et les Babyloniens pour la propriété de l'Esangila […]
Le 11 du mois [18 octobre], à Sippar un ordre d'Al[exandre…]
« […] je ne pénétrerai pas dans vos maisons ». Le 13 [20 octobre] […], la porte Pura, porte extérieure de l'Esangila [sanctuaire du dieu Marduk]…
Le 14 [21 octobre], ces [?] Ioniens [offrirent] un taureau […]… gras.

Puis c'est l'entrée du nouveau roi du monde à Babylone :
[Tel jour] Alexandre, roi du monde, [vint? da]ns Babylone […]
[…] et les Babyloniens et les citoyens de Babylone […]
[…] un message à […]

Révélée par l'échange de messagers, les engagements d'Alexandre et les sacrifices offerts par l'avant-garde macédonienne (les « Ioniens »), l'existence de pourparlers dans les semaines qui ont suivi la bataille permet de reconstituer les étapes et la chronologie de la marche du roi macédonien, même si la date précise de son arrivée est manquante. On comprend mieux ainsi les conditions dans lesquelles, selon les auteurs anciens, Alexandre a été accueilli triomphalement à Babylone, et par les autorités et la population babyloniennes, et par le chef perse Mazday. Les uns et les autres ont négocié avec le vainqueur les conditions d'une reddition sans combat ni résistance.

P. Briant, *Darius dans l'ombre d'Alexandre*, Paris, Fayard, 2003

Décision prise par Alexandre sur une affaire intérieure macédonienne (inscription grecque)

Trouvée en 1936 cassée en cinq fragments, et publiée pour la première fois en 1985, une inscription grecque provenant de la cité de Philippes en Macédoine retranscrit une affaire de bornage des terres de la cité, et la décision prise à cet égard par Alexandre. D'après les restitutions récentes d'un spécialiste de l'épigraphie et de l'histoire macédoniennes, c'est à Persépolis même (entre janvier et mai 330) que le roi aurait communiqué sa décision aux ambassadeurs que la cité lui avait envoyés. Au-delà des incertitudes chronologiques qui néanmoins subsistent, le texte atteste qu'Alexandre n'est pas réductible à son activité de conquérant d'empire : il a aussi à cœur d'administrer les territoires royaux, et de régler les rapports avec les cités de son obédience.

Ainsi ont communiqué par lettre depuis la [Perse] les ambassadeurs envoyés auprès du roi Alexandre, au sujet de Philippes [cité] et de son territoire et ainsi Alexandre a décidé : que les Philippiens cultivent les terres en friche qui lui appartiennent et qu'ils les possèdent, à condition de verser un tribut; que les terres en friche soient délimitées pour eux par Philotas et Léonnatos; quant aux Thraces qui ont occupé le territoire originel que Philippe [roi] avait donné à Philippes, que Philotas et Léonnatos examinent s'ils l'ont occupé avant ou après la décision écrite [*diagramma*] de Philippe; si c'est après, qu'ils s'en retirent; que Philotas et Léonnatos réservent deux mille plèthres des terres en friche… du territoire Datos…, qu'ils ajoutent de ce [territoire] en mesurant deux stades; que les Philippiens aient l'usage du reste; quant à ce qui a été donné aux Thraces par Philippe, que les Thraces en aient la jouissance, ainsi qu'Alexandre en a statué; que les Philippiens possèdent les terres…, ainsi qu'elles sont délimitées de chaque côté par les collines…; quant aux terres situées près du territoire de Serrès et près de Dainéros, que les Philippiens en aient l'usage, ainsi que l'avait concédé Philippe; que nul ne vende le bois de Dysoron, jusqu'à ce que l'ambassade revienne de chez Alexandre; que les marécages appartiennent aux Philippiens jusqu'au Pont.

M. Hatzopoulos, « Alexandre en Perse : la revanche et l'empire », *Zeitschrift für Papyrologie und Epigraphik*, 116, 1997

CHRONOLOGIE

Été 336 Assassinat de Philippe II. Avènement d'Alexandre, fils du roi défunt et de la reine Olympias, âgé de vingt ans.

Printemps-été 335 Campagnes d'Alexandre sur les frontières nord et nord-ouest du royaume de Macédoine.

Automne 335 Alexandre mate une révolte des cités grecques. Destruction de Thèbes.

Printemps 334 Débarquement d'Alexandre en Asie Mineure.
Première victoire sur une armée perse sur les bords du Granique.

Été 334 Soumission des cités de la côte d'Asie Mineure.
Désarmement de la flotte.

Hiver 334 Conquêtes des côtes méridionales de l'Asie Mineure (Lycie, Pamphylie, Phrygie) et halte à Gordion, en Phrygie.

Printemps 333 Alexandre quitte Gordion pour la Cilicie. Contre-attaque maritime perse sous les ordres de Memnon. Chute de la citadelle d'Halicarnasse aux mains des Macédoniens.

1er novembre 333 Première bataille rangée entre Alexandre et Darius à Issos. Darius regagne Babylone pour reconstituer une armée.

Hiver 333 Alexandre soumet les cités phéniciennes sauf Tyr.

Janvier-août 332 Siège et chute de Tyr.

Automne 332 - printemps 331 Occupation de l'Égypte, fondation d'Alexandrie, fin de la résistance maritime perse.

Août 331 Alexandre franchit l'Euphrate, puis le Tigre.

Octobre 331 Deuxième victoire d'Alexandre en bataille rangée, à Arbèles, face à Darius. Le Grand Roi s'enfuit vers l'est.

Novembre-décembre 331 Alexandre entre à Babylone et à Suse.

Janvier-mai 330 Séjour d'Alexandre en Perse.
Destruction du palais de Persépolis en mai.
Darius tente de former une nouvelle armée en Médie.

Été 330 Alexandre à la poursuite de Darius.
Occupation macédonienne de la Médie et de la Parthie.

Juillet 330 Assassinat de Darius par des comploteurs perses. Alexandre fait inhumer Darius à Persépolis et se lance à la poursuite du principal comploteur, Bessos, satrape de Bactriane. Le conquérant commence à adopter le cérémonial de cour de Grand Roi.

Automne 330 Alexandre doit revenir sur ses pas pour mater la révolte de Satibarzanès, satrape d'Arie.
En Drangiane, le noble macédonien est accusé de complot : il est mis à mort après un procès et son père Parménion est assassiné.

Printemps 329 Difficile traversée de l'Hindu Kuch.
Arrivée d'Alexandre en Bactriane, où Bessos a pris le titre d'Artaxerxès IV.

Été 329 Alexandre passe l'Oxus (Amou-Daria) et pénètre en Bactriane. Bessos est pris et exécuté.

Été 328 Poursuite de dures opérations en Sogdiane. Affaire de la proskynèse.
Exécutions de Cleitos, puis de Callisthène.

Printemps 327 Les derniers îlots de résistance de Sogdiane sont emportés.
Départ de l'armée pour l'Inde.

Automne 327 Progression des deux corps d'armée vers l'Indus.

Printemps 326 Passage de l'Indus.

Été 326 Victoire sur le roi Poros.

Automne 326 Sur l'Hyphase (Bias), les soldats refusent d'aller plus loin vers l'est.
Alexandre doit ordonner le retour.

Hiver 326 Descente de l'Indus. Victoire sur les Malliens.

Janvier-juillet 325 Séjour dans le delta de l'Indus à Pattala (Hyderabad ?).
Construction d'un port et d'un chantier naval.
Départ de Cratère avec une partie des troupes, *via* la passe de Bolan et Kandahar.

Août 325 Départ d'Alexandre vers la Gédrosie (Baluchistan)

Septembre 325 Appareillage de la flotte sous le commandement de Néarque, chargé de remonter la côte perse du golfe Persique.

Décembre 325 Jonction de Néarque et d'Alexandre en Carmanie. Néarque réembarque pour l'embouchure de l'Euphrate, et Alexandre reprend la route pour la Perse.

Janvier 324 Alexandre à Pasargades, où il fait restaurer le tombeau de Cyrus.

Février 324 Les noces de Suse.

Printemps 324 Sédition d'Opis.

Été 324 Alexandre à Ecbatane. Mort d'Héphestion.
Campagne contre les Cosséens du Luristan.

Printemps 323 A Babylone, Alexandre fait construire une flotte pour mener à bien une expédition en Arabie.

13 juin 323 Mort d'Alexandre.

BIBLIOGRAPHIE

Ouvrages généraux
P. Briant, *Alexandre le Grand*, Paris, PUF, coll. Que-sais-je ? 622, 5e éd., 2002 ; *Darius dans l'ombre d'Alexandre*, Paris, Fayard, 2003 ; *Histoire de l'Empire perse. De Cyrus à Alexandre*, Paris, Fayard, 1996 (pp. 711-896, 1032-1077).

Sources littéraires gréco-romaines
Diodore de Sicile (Livre XVII), Plutarque (*Vie d'Alexandre*), Quinte-Curce (*Histoire d'Alexandre*) sont accessibles dans la Collection des Universités de France (Les Belles Lettres, Paris). L'*Anabase* et l'*Inde* d'Arrien ont été traduits en français par P. Savinel (Paris, Éditions de Minuit, 1984). Rassemblés sous forme thématique, les passages des auteurs grecs et romains sont désormais accessibles dans le livre dirigé par O. Battistini et P. Charvet, *Alexandre le Grand. Histoire et dictionnaire* (Paris, Lafont, coll. Bouquins, 2004). Les fragments des œuvres perdues ont été édités et traduits en français par J. Auberger (Paris, Les Belles Lettres, 2001) ; voir aussi P. Pédech, *Historiens compagnons d'Alexandre* (Paris, Les Belles Lettres, 1984).

Monnaies et finances :
G. Le Rider, *Alexandre le Grand. Finances, monnaies et politique*, Paris, PUF, 2003.

Alexandre et la Macédoine
E. Carney, *Women and Monarchy in Macedonia*, University of Oklahoma Press, Norman, 2000.
M. B. Hatzopoulos, *Macedonian Institutions under the Kings*, I-I, Athènes, Paris, 1996.

Débats actuels
A. B. Bosworth, « A tale of two empires: Hernán Cortés and Alexander the Great », *in* A. B Bosworth et E. J. Baynham (eds.), *Alexander the Great in Fact and Fiction*, Oxford, University Press, 2000.
P. Briant, « Alexandre et l'hellénisation de l'Asie. L'histoire au passé et au présent », *Studi Ellenistici* (Pise) XVI, 2004.

Deux sites consacrés à Alexandre le Grand
www.isidore-of-seville.com/Alexanderama.html
www.hum.ucalgary.ca/wheckel/alexande.htm
Pour suivre l'actualité sur les recherches achéménides : www.achemenet.com

TABLE DES ILLUSTRATIONS

COUVERTURE

OUVERTURE

CHAPITRE I

CHAPITRE II

CHAPITRE III

CHAPITRE IV

meurtriers enchaînés), châh Hâmeh de Firdusi, suppl. persan 2113. BnF, Paris.
83h Carte des conquêtes d'Alexandre.
83b Médaille en or à l'effigie d'Alexandre le Grand.
84 Alexandre donnant audience, suppl. persan 1029. BnF, Paris.
86 Radeaux d'outres remplies de paille, Pakistan.
87 Char tiré par quatre chevaux, trésor de l'Oxus, VIe-IVe siècle av. J.-C. British Museum, Londres.
88/89 Cavalier scythe, tapis de Pazyrik, IIIe siècle av. J.-C.
89h Roi scythe, détail de la falaise de Behistoun.
90/91 Noces d'Alexandre et de la princesse Roxane, fresque de Sodoma. Vimla Farnésine, Rome.
92h Pièce d'argent provenant d'Aï Khanoum.
92/93 Bas-relief dit de la « proskynèse », Persépolis.

CHAPITRE V

94 Alexandre, miniature iridienne du XVIIe ou XVIIIe siècle. Coll. privée.
95 Eléphant de guerre, métal repoussé. Musée de l'Ermitage, Saint-Pétersbourg.
96h Le col de Khayber.
96/97 Relevé d'une fresque détruite de Naoussa.
99 Pont de bateaux sur la Chenab, affluent de l'Indus.
100/101 *Bataille d'Alexandre contre Porus*, peinture de Watteau. Musée des Beaux-Arts, Lille.
102 *Alexandre et Porus* (détail), peinture de Lebrun, vers 1660-1670. Musée du Louvre, Paris.
103 Monnaie à l'effigie d'Alexandre, à cheval contre Porus sur son éléphant. British Museum.
104h Monnaie de Ptolémée Ier à l'effigie d'Alexandre, coiffé d'une dépouille d'éléphant, IIIe siècle av. J.C..
104b Dessin préparatoire de Gustave Moreau au *Triomphe d'Alexandre,* entre 1875 et 1890. Musée Gustave-Moreau, Paris.
105 *Triomphe d'Alexandre le Grand*, *idem.*
106 Eléphant de bataille, détail d'un vase du IIIe siècle av. J.-C. Villa Giullia, Rome.
107 Alexandre recevant une ambassade d'Indiens et retenant près de lui le philosophe Calanus, voussure du salon de Mercure à Versailles, par Jean-Baptiste Champaigne. Château de Versailles.
108 Manuscrit persan, roman d'Alexandre, suppl. turc 316. BnF, Paris.
109 *Alexandre le Grand reçu par la reine de l'Inde*, peinture indienne, XVIIe siècle. BnF, Paris.
110b La flotte d'Alexandre, manuscrit de l'histoire d'Alexandre par Quinte-Curce, XVIe siècle. Bibl. munic. de Reims.
110/111 Carte des conquêtes d'Alexandre.

CHAPITRE VI

112 *Auguste au tombeau d'Alexandre*, peinture de Sébastien Bourdon, entre 1630 et 1670. Musée du Louvre, Paris.
113 *Alexandre malade*, peinture de J. Restout, XVIIIe siècle. Musée d'Amiens.
115h Comment Alexandre fit exécuter les sénéchaux des provinces, manuscrit de l'histoire d'Alexandre le Grand par Quinte-Curce, XVIe siècle. Bibl. munic. de Reims.
115b Supplice capital, *idem.*
116/117 Ruines du palais de Darius à Persépolis, *in* Flandin et Coste, *Voyages dans l'ancienne Perse*, 1840.
117h Tombeau de Cyrus.
118 Alexandre le Grand en Mars, marbre. Musée du Louvre, Paris.
120 Restitution du bûcher d'Héphestion, d'après la description de Diodore de Sicile, tirée du recueil des médailles de la reine Christine, dessin de Quatremère de Quincy. Bibl. de l'Institut, Paris.
121 *Mort d'Alexandre*, gravure sur bois d'après une peinture de von Piloty. Bildarchiv Preussiger Kulturbesitz, Berlin.
122/123 Sarcophage dit d'Alexandre (détail : combat entre Grecs et Perses), provenant de Sidon (Liban), fin IVe siècle av. J.-C. Musée arch. Istanbul.
124h *Idem* (détail : combat).
124b *Idem* (détail).
125 *Idem* (détail).
126h Monnaie à l'effigie de Ptolémée Ier, IIIe siècle av. J. C. BnF, Paris.
126b Monnaie de Persépolis à l'effigie de Séleucos Ier.
127 Restitution du char funéraire qui transporta le corps d'Alexandre de Babylone en Égypte, d'après la description de Diodore de Sicile, gravure de Quatremère de Quincy. Bibl. de l'Institut, Paris.
128 *Alexandre et son médecin Philippe*, peinture de Hans Wertingh, XVIe siècle. Galerie nationale, Prague.

TÉMOIGNAGES ET DOCUMENTS

130 *Alexandre le Grand*, gravure de G. Zumpe. BnF, Paris.
131 *Alexandre le Grand devant le tombeau d'Achille*, peinture de Hubert Robert, vers 1754.

Musée du Louvre, Paris.
132 Alexandre le Grand, bronze antique. British Museum, Londres.
133 Plutarque, gravure.
134 Triomphe d'Alexandre, coffre-écritoire, fer damasquiné d'or et d'argent, XVIIe siècle. Musée de Cluny, Paris.
135 Bataille des troupes d'Alexandre et de Darius, manuscrit turc, histoire d'Alexandre le Grand. BnF, Paris.
137 Bouddha prêchant assis, sculpture gréco-bouddhique.
138/139 Ecole primaire en 1872, gravure.
139 Victor Duruy, gravure.
140 Alexandre et Aristote *in* le *Livre des Merveilles* de Marco Polo, manuscrit français. BnF, Paris.
142 *Alexandre le Grand devant le lit de mort de la mère de Darius*, dessin de David. Ecole des Beaux-Arts, Paris.
143 Classe d'école primaire vers 1925.
145 Alexandre vainqueur, marbre de P. Puget, XVIIe siècle. Musée du Louvre, Paris.
147 Le président Giscard d'Estaing.
148 Médaillon à l'effigie d'Alexandre. Musée Guimet, Paris.
149 *Les noces d'Alexandre*, gouache de Johan Erdmann Hümmel. Bildarchiv Preussiger Kulturbesitz, Berlin.
151 Allégorie d'Alexandrie.
153 Char funèbre, détail d'une gravure de Quatremère de Quincy. Bibl. de l'Institut, Paris.
153 La dissection et l'enterrement d'Alexandre, manuscrit de l'histoire d'Alexandre par Quinte-Curce, XVIe siècle. Bibl. munic. de Reims.
156 Alexandre conduit sa mère Olympias devant Philippe II. Institut hellénistique d'études byzantines, Venise.
157 Alexandre le Grand, nu debout, bronze d'époque romaine. BnF, Paris.
158 Sarcophage de Sidon (détail : Antigone le Borgne).
159 Démétrios Poliorcète, statue. Musée arch. nat., Naples.
160 Portrait de Philippe II, ivoire. Musée arch. de Thessalonique.
164 Alexandre le Grand sur son cheval (bronze), élément d'un monument sculpté à Thessalonique par Evangelos Moustakas, 1974, premier prix du concours national de la Commission nationale des statues.
165 Bataille d'Issos, *idem*.
168 *Bataille de Gaugamèles*, peinture de Lebrun, 1669. Musée du Louvre, Paris.

INDEX

A

B

C

D

CRÉDITS PHOTOGRAPHIQUES

Alinari/Viollet, Paris 1, 3, 38, 118, 145. Artephot/Ziolo, Paris, 32/33h, 98h. Bibl. de l'Institut, Paris 120, 127, 153. Bibliothèque nationale de France, Paris 14/15, 36, 41, 42h, 74/75, 80, 81, 84, 108, 109, 126h, 130, 135, 140, 157. Bildarchiv Preussiger Kulturbesitz, Berlin 121, 128, 149. Bridgeman Art Library, Londres 53/54, 164. British Museum, Londres 103, 132. Bulloz, Paris 24/25, 65, 67b, 104b, 105, 113, 142. Jean-Loup Charmet, Paris 28/29. Peter Clayton, Londres 4, 5, 11, 45h, 48h, 58, 59, 66, 83b, 104h, 126b. Dagli Orti, Paris 2, 10, 16hg, 16/17, 18, 34, 39, 48b, 106, 110b, 115h, 115b, 122/123, 124h, 124b, 125, 160. Droits réservés 15, 26, 27, 30/31, 37b, 44/45, 46, 61, 71, 72/73, 78, 78/79, 87, 92/93, 116/117, 117h, 151, 158, 159. Editions du Cercle d'art, Paris 88/89. Ekdotike, Athènes 9, 16hm, 16hd, 17, 19h, 19b, 21, 37h, 56/57, 64, 95, 96/97. Explorer, Paris 60, 102. Giraudon, Paris 62/63, 153. Magnum, Paris 147. R. et S. Michaud, Paris 6, 76, 77, 86, 92h, 94, 96h, 99. Musée des Beaux-Arts, Lille 100/101. Jean Perrot, Paris 23. Pucciarelli, Rome 12/13. Roger-Viollet, Paris 42/43, 133, 134, 137, 138/139, 139, 143, 156. RMN, Paris 7, 35, 67h, 68, 69, 107, 112, 131, 148, 168. Photononstop/Yvan Travert 165. Scala, Florence couv., 20, 47, 51, 52/53, 90/91.

REMERCIEMENTS

Nous remercions les personnes et les organismes suivants pour l'aide qu'ils nous ont apportée dans la réalisation de cet ouvrage : Mme Monique Kervran et M. Jean Perrot pour la photo de la statue de Darius; la bibliothèque d'assyriologie du Collège de France et M. Dussau; M. John Bastias et les éditions Ekdotike à Athènes; MM. Jean Loup Charmet, François Delebecque et Pierre Pitrou, photographes. Ainsi que les éditeurs suivants pour les extraits reproduits : Editions des Belles-Lettres pour Plutarque, Diodore de Sicile, Quinte-Curce; les Editions Garnier pour Justin, les Editions de Minuit pour Arrien.

ÉDITION ET FABRICATION

DÉCOUVERTES GALLIMARD
COLLECTION CONÇUE PAR Pierre Marchand.
DIRECTION Elisabeth de Farcy.
COORDINATION ÉDITORIALE Anne Lemaire.
GRAPHISME Alain Gouessant.
COORDINATION ICONOGRAPHIQUE Isabelle de Latour.
SUIVI DE PRODUCTION Fabienne Brifault.
SUIVI DE PARTENARIAT Madeleine Giai-Levra.
RESPONSABLE COMMUNICATION ET PRESSE Valérie Tolstoï.
PRESSE Flora Joly.

ALEXANDRE LE GRAND, DE LA GRÈCE À L'INDE
EDITION Élisabeth de Farcy
ICONOGRAPHIE Edith Garraud.
MAQUETTE Francesco Moretti.
LECTURE-CORRECTION Pierre Granet et Jocelyne Marziou.

Table des matières